Eveline Hasler

Aline
und die Erfindung der Liebe

Roman

Nagel & Kimche

1 2 3 4 5   04 03 02 01 00

© 2000 Verlag Nagel & Kimche AG, Zürich
Herstellung: Die Buchherstellung, Tatiana Wagenbach-Stephan
Druck und Bindung: Friedrich Pustet
Printed in Germany
ISBN 3-312-00269-9

I

Eines Morgens gegen Ende seiner Kindheit entdeckte Luca in seinem Bergdorf, auf 1100 Meter über Meeresspiegel, ein gestrandetes Schiff.

An der Reling und durch die Scheiben der Bullaugen glaubte er fremdländische Gesichter zu erkennen, und im Bauch des Dampfers erahnte er ein Labyrinth von Gängen mit Türen zu Zimmern und Salons, eine ganze Stadt.

Noch am selben Tag erzählte er seinem zehn Jahre älteren Freund Paolo von seiner Entdeckung. Der schüttelte den Jüngeren an den Schultern. «Luca, hast du bis jetzt geträumt? Er steht doch schon immer da, der Palazzo mit dem Namen La Barca! Weißt du nicht, dass ich der neuen Besitzerin, die auch schon zwei oder drei Jahre dort wohnt, Italienischstunden gebe?»

«Ich bin klein für mein Alter, habe früher nie über die hohe Mauer sehen können, bin erst seit kurzem etwas gewachsen», versuchte Luca zu erklären, doch Paolo winkte ab.

«Es liegt wohl nicht an deiner Körperlänge. Unser Blickwinkel kann sich plötzlich erweitern, das geht, wie das Erwachsenwerden, manchmal ruckweise. Wie alt bist du jetzt?»

«Dreizehn.»

In der Mauer neben der Treppe, die hinter der Kirche steil zu den höher gelegenen Häusern führte, fehlten einige Steine, sodass Lucas Füße in den Lücken Halt fanden. Er kletterte hinauf und sah im Schutz der Kastanienzweige hinüber zur Barca.

Auf der Terrasse, die um den viereckigen Turm lief, stand die junge Frau. Eine Hand waagrecht über den Augen, um sich vor der gleißenden Sonne zu schützen, schaute sie ins Tal. Der Wind blähte ihr helles ärmelloses Leinenkleid im Rücken wie ein Segel und ließ ihre halblangen dunklen Haare flattern. Die Schultern waren rund und sonnengebräunt.

Im Bergdorf sind die Frauen sonst auch im Sommer bedeckt gekleidet, mit Stoffen aus leichter Wolle, meist braun oder lilafarben. Das hat den praktischen Grund, unempfindlich zu sein gegen die Härten der Feldarbeit. Die Frauen sind monatelang ohne Männer, niemand soll sie begehren, heißt es.

Aline Rosenbaum hieß die neue Besitzerin der Barca. Später, als sie zu schreiben begonnen hatte, sollte sie unter ihrem Pseudonym im Gedächtnis bleiben: Aline Valangin. Im Dorf wurden die neuen Herrschaften Sciori genannt, wohl eine aus dem Tessiner Dialekt stammende Abwandlung des Ausdrucks Signori.

Aline Rosenbaum hatte in der *Neuen Zürcher Zeitung* die Annonce der Liegenschaft entdeckt, eine kleine Skizze des Schlösschens hatte ihre Aufmerksamkeit erregt. Mit ihrem Gatten, einem erfolgreichen jüdischen Rechtsanwalt, hatte sie seit einiger Zeit an ein Landhaus als Rückzugsmöglichkeit gedacht. Schon am darauf folgenden

Samstag waren sie mit dem Auto die staubige Straße über den Gotthard gefahren, dann die endlosen Kurven hinauf ins Onsernone, zum zweitobersten Dorf des Tals. In Comologno hatten sie den Wagen bei den ersten Häusern abgestellt. In der Dorfgasse fragte Aline Rosenbaum ein Mädchen, das eine Ziege am Strick führte: «Wo ist der Palazzo, den man La Barca nennt?»

«Ihr steht davor, Sciora.» Das Mädchen kicherte verlegen.

«Hier?» Die Fremde blickte verdutzt an der Mauer empor, wohl an die zehn Meter hoch, aus Natursteinen gefügt, als habe sie die Aufgabe, einen Bergbach zu stauen. Den Kopf in den Nacken gelegt, erkannte sie jetzt den obersten Teil eines Turmes mit der metallenen Wetterfahne. Später erfuhr sie von dem Mann, der von den Besitzern angewiesen worden war, das Gebäude mit seinem Umschwung zu zeigen, die Geschichte der Barca:

Ein junger Mann aus Comologno aus der Familie der Remonda hatte im achtzehnten Jahrhundert in Frankreich sein Glück gemacht. An der Pariser Börse konnten Schiffe, die nicht rechtzeitig im Hafen eingelaufen waren und als verschollen galten, ersteigert werden. Lief das Schiff wider Erwarten dennoch ein, fiel es samt seiner Fracht dem Ersteigerer zu. Remondas Schiff, das nach Wochen im Hafen ankam, war hoch beladen mit Seidenstoffen. Remonda verkaufte seine Stoffe an reiche Damen, kam zu Vermögen und ließ in seinem Dorf nach savoyardischem Vorbild einen Palazzo bauen, den er La Barca nannte, das Schiff.

Aline und Wladimir Rosenbaum zeigten sich schon am ersten Tag entschlossen, das Schlösschen zu kaufen. Unter dem Vertrag stand das Jahr 1929.

Der Sommer, in dem Luca die Barca entdeckte, war ungewöhnlich heiß.

Die Häuser dösten mit halb verschlossenen Fensterläden wie hinter trägen Lidern, die Tage schlichen in hinterhältiger Ruhe dahin. Das Dorf war wie leergefegt. Die Männer arbeiteten als Maurer und Gipser im Ausland, die noch rüstigen Frauen waren mit Kühen und Ziegen zu den Alphütten gezogen, die Kinder wurden auf den Maiensäßen zu vielfältigen Verrichtungen gebraucht. Nur Luca, der Gymnasiast, hatte Ferien – ein Wort, das man im Dorf mit Verachtung und einem neidvollen Blitzen in den Augen aussprach, mit einem Zischeln hinter seinem Rücken: Herrenbub, fauler! Doch nun hatten die Spötter das Dorf geräumt. Mit den Kleinen, die bei ihren Großeltern im Tal geblieben waren, gab sich Luca nicht ab, es blieb viel Zeit herumzustreifen, zu lesen und sich in Phantasien einzuspinnen. Zum Glück war da noch Paolo, der aus Florenz stammende Emigrant, doch gab er sich dem Jüngeren gegenüber schweigsam: Er müsse viel allein sein, schreibe an einem Buch.

«Worüber schreibst du, Paolo?»

«Über meine Erlebnisse mit den Faschisten und über die Gefangenschaft meines Bruders Ernesto.»

Paolo Rossi hatte in Italien gegen den aufkommenden Faschismus gekämpft und schließlich mit seiner Mutter Italien verlassen müssen. Wie die meisten vom Faschismus Gejagten waren sie zuerst nach Zürich gekommen und fanden dann, durch Rosenbaums Vermittlung, Aufnahme in Comologno. Im Dorf galten die Emigranten, schon ihrer weicheren Sprache wegen, als etwas Besonderes. Auch Luca, an den Dialekt gewohnt, wurde durch das

Toskanische verzaubert. Zwischen den Granitfelsen des Onsernone klingt der einheimische Dialekt metallisch, stumpf, ohne die klingenden Endvokale der Schriftsprache.

Es war diese Sprache, die Paolo fast als Einzigem aus dem Dorf Zutritt zur Barca verschaffte, die Sprache als Schlüssel zu einer verschlossenen Welt.

«Ein Haus wie eine Arche», hatte Paolo gesagt. «Ein Schiff mit einem Labyrinth von Gängen, Kammern, Salons, bewohnt von Menschen, die hier Zuflucht gefunden haben vor der Sintflut.»

«Sintflut? Vor welcher Sintflut?», hatte Luca staunend gefragt.

«Sie überschwemmt den Norden und den Süden zugleich, Deutschland und Italien, wo der Faschismus herrscht.»

«Warst du wirklich im Gefängnis?»

«Mehrmals, aber nur kurz. Doch meinen Bruder Ernesto haben sie wegen einiger Artikel in antifaschistischen Zeitungen zu zwanzig Jahren verurteilt.»

«Erzähle», drängte Luca.

Aber die Lippen des Älteren blieben verschlossen. Er schreibe es ja auf, das sehe Luca doch.

Paolo Rossi saß im letzten Abendlicht unterhalb der Kirche auf einem Mäuerchen, auf den Knien lose, mit Bleistift beschriebene Blätter.

«Ich schreibe es auf, denn die Sprache hat ein Gedächtnis», murmelte er, den Blick auf die Blätter gesenkt.

Luca verbrachte, wie zuvor schon alle Jahre seiner Kindheit, den langen Sommer im väterlichen Haus. Die Mutter war gestorben, der Vater arbeitete als Beamter in

Locarno und kam nur manchmal am Wochenende, die ledig gebliebene Großtante Serafina besorgte den Haushalt. Die Großtante hatte schlechte Zeiten erlebt und war wortkarg. Luca, abends sich selbst überlassen auf einer der hölzernen Galerien, die man im Onsernone Lobbia nennt und wo die Vorfahren Strohbänder für die Hüte getrocknet hatten, bis ausländische Konkurrenz diesen Erwerbszweig unrentabel erscheinen ließ, entwarf Bilder seiner Zukunft. Sie verwoben sich mit der Farbe der Dämmerung, die aus dem waldigen Taleinschnitt drang. Bilder wie unscharfe bräunliche Fotografien: Luca, erwachsen, an einer Hochschule Sprache studierend. Luca am Schreibtisch einer Zeitungsredaktion. Luca in Florenz, wo er vorsorglich erst die Faschisten in Handschellen abführte, dann die Sprache Dantes auszusprechen lernte wie Paolo Rossi. Später erschien vor seinem inneren Auge der Salon der Barca, den er in Wirklichkeit noch nie zu Gesicht bekommen hatte. Er erfand ihn prächtig, wie einen der Aufenthaltsräume der *Titanic*. In Rossis Rolle schlüpfend weihte er die schöne Sciora in die Geheimnisse der Sprache ein, während unter seinen Füßen das Vibrieren der Schiffsmotoren zu spüren war und die Lampen aus buntem Glas und die Nippes in den Vitrinen leise klirrten.

Eine zitternde, instabile Welt.

Doch die Frau, um die er seine Sätze spann, hörte ihm gebannt zu.

«Sie ist viel allein, die Sciora.»

Das sagte Violetta im halbdunklen Gewölbe ihres Kramladens, der einer riesigen Miesmuschel glich. Sie reichte ein Pfund Reis über den Ladentisch. Die Frau, welche die Tüte entgegennahm, sah Violettas verschlagenes Lächeln über dem spitzen Kinn.

«Die? Einsam?», gab sie zurück. «Seit sie im Palazzo wohnt, hat sie doch ständig Besucher: Emigranten, Künstler, sogar einen gelehrten Chinesen ...»

Violetta strich das Geld ein und lächelte säuerlich. «Ja, ja, sie tut Gutes! Es heißt, die Sciora in der Barca teile mit den Emigranten ihr Essen und ihr Bett ...» Sie ließ ein verhaltenes Kichern hören.

Da entdeckte sie unter den Wartenden den halbwüchsigen Luca und wechselte das Thema.

Die junge Frau, die im Garten der Barca hin und wieder zwischen Buchsbaum und Rosenstöcken auftauchte, strich sich über den schmerzenden Rücken. Sie sah, dass ihre Mühe sich gelohnt hatte: die Beete, vor zwei Jahren noch verwildert, waren geordnet, der Sommerflor und die Rosenblüten standen in voller Pracht. Sie nahm ihre Gartenschere und schnitt da und dort einen wilden Trieb ab. Den Beobachter zwischen den Kastanienzweigen sah sie nicht.

Und doch hatte sie, wie oft während der Gartenarbeit, den Eindruck, dass jemand sie beobachtete, es schien ihr jedoch, vom oberen Stock des Palazzo aus, wo hinter halb geschlossenen Läden die Terza ihr dämmriges Reich hatte. Beim Kauf des Schlösschens hatte sie die Terza gewissermaßen mit übernommen. Ihre Freunde fanden zwar, sie brauche sich doch nicht an dieses alte Testament zu halten, aber das passte nicht zu Alines Gerechtigkeitssinn: Die alte Magd, die fünf Jahrzehnte lang hier gedient hatte, gehörte einfach zum Inventar des Palazzo, basta.

Der letzte Eigentümer, ein heruntergekommener Nachfahre des Erbauers, hatte aus Menschenhass das Haus zwanzig Jahre lang nicht mehr verlassen, er ließ die Büsche an den Fenstern hochwachsen, und im Esszimmer hielt er sich eine Kuh. Alle im Dorf hatten es gewusst. Und die Terza hatte der Sciora erzählt, sie habe eine Hacke nehmen müssen, um die Wände und den Boden von der Mistkruste zu befreien.

Dass die Terza dem Mann einmal mehr gewesen war als eine Magd, hatte die Sciora freilich von anderen Leuten erfahren – die Terza, hatte man ihr im Dorf berichtet, durfte das Zepter führen wie eine Padrona. Da der Besitzer ihren Lohn nicht auszahlen konnte, versprach er, nach seinem Tod ihr den Besitz zu überschreiben. Als der Padrone gestorben war, suchte die Terza alle Winkel des Hauses vergeblich nach dem Testament ab, während schon Nichten und Neffen herbeidrängten, um die Erbschaft zu teilen.

Da fand sich endlich in einer der Schubladen ein Fetzen Papier mit der Schrift des Padrone: Die Terza bekommt eine Wohnung im Palazzo bis zu ihrem Tode. Die jungen Verwandten, die schließlich erbten, wussten mit dem Haus nichts anzufangen und verkauften es an das Ehepaar Rosenbaum.

Doch die Terza hätte viel lieber allein im Palazzo gewohnt. Am Tag ihres Einzugs sagte sie zu Aline Rosenbaum: «Ah, Sie haben das Zimmer mit den aufgemalten roten Rosen als Schlafzimmer gewählt? Es ist das Zimmer, in dem die letzten sechs Padroni des Hauses gestorben sind!»

Aline zeigte sich unerschrocken. «Ein gutes Sterbezimmer wird auch ein gutes Ruhezimmer sein», gab sie lachend zurück.

Auch auf andere Weise versuchte die Terza, der neuen Sciora das Haus zu verleiden: Da waren am Morgen im Garten Zweige geknickt, die eben aufblühten. Und über dem Schlafzimmer der Sciora, wo die Terza ihr Reich hatte, hörte man sie nachts das Butterfass drehen. Manchmal bewahrte sie dort im Sommer stinkenden Käse auf.

Die Terza machte keinen Hehl daraus, dass sie nur darauf wartete, bis man auch die neue Besitzerin mit den Füßen voran aus dem Zimmer mit den roten Rosen tragen würde. An ihr eigenes hohes Alter dachte die Magd nicht. Am Sonntag ging sie in den Taftkleidern der alten Padrona zur Kirche, wo sie respektvoll gegrüßt wurde: Eine große, robuste Gestalt, unter dem Kopftuch mit den langen Fransen das hochmütig gereckte Kinn. Nichts schien ihr zu entgehen. Aus den tiefen Augenhöhlen blickten zwei kleine, schlaue Elefantenaugen.

Doch nach und nach erkannte die Terza wohl Gemeinsamkeiten, die sie versöhnlicher stimmten. Wie sich die Sciora um Haus und Garten kümmere, zeige ihre Passion für die Barca, hatte sie neulich zugestanden.

Schritte, die von der Dorfstraße her rasch näher kamen, schreckten den Beobachter im Kastanienbaum auf. Er blickte hinab und entdeckte Rossi, der vom Weg abbog, um die Treppenstufen zu erklimmen. Aus der Vogelperspektive wirkte er zusammengestaucht, mit zappelnden Beinen. Auf der Treppe beschleunigte er sein Tempo, etwas trieb ihn, peitschte ihn hangaufwärts. Vor dem Gartentor des Palazzo blieb er stehen.

Luca wartete auf das Geräusch der Klingel, doch er hörte Metall gegen das Gitter schlagen, ein Schlüssel drehte sich, das alte Schloss gab ächzend nach.

Die Sciora musste unterdessen ins Haus gegangen sein, er hörte sie am Flügel ein paar Akkorde anschlagen, als stimme sie sich auf Rossis Sprachmusik ein. Die kleine Melodie, die hüpfend daherkam, brach jäh ab. Nun ist Rossi bei ihr, die Lektion kann beginnen, dachte Luca.

Die Stille, die nun einfiel, gab ihm ein Gefühl des Ausgeschlossenseins und schmerzte.

Er beschloss, so schnell wie möglich erwachsen zu werden, um dieses Gefühl hinter sich zu bringen.

Doch hatte erwachsen werden zu tun mit der verstreichenden Zeit, und Zeit verging in diesem Sommer nur langsam, aufreizend langsam.

So kletterte er von der Mauer und trieb sich unterhalb der Kirche bei den Gräbern herum. Zwei der kleinen Buben, die mit den Großeltern im Dorf geblieben waren, schleppten gemeinsam eine eiserne Gießkanne und begossen die Grabblumen. Als sie Luca sahen, riefen sie erfreut: «Komm, spiel mit uns!» Sie zielten unterhalb des Friedhofs mit Kieselsteinen auf Vögel. Luca tat ihnen den Gefallen, doch seine Steine flogen am Ziel vorbei, prasselten, das Geräusch des Regens nachahmend, ins dichte Laub der Eschen.

Eine Stunde später schlenderte er zurück zu seinem Beobachtungsposten. Paolo Rossi kam schon den Gartenweg entlang zum Tor. Luca, ihm entgegeneilend, fragte: «Was hat sie heute gelernt?» «Konjugationen», brummte Rossi.

Und dann, weil er den fragenden Blick des Jüngeren sah: «Auch Grammatik muss sein.»

Rossi drehte den schweren Schlüssel im Schloss, als gelte es, den Paradiesgarten vor Unbefugten zu verschließen.

«Ist sie allein?», wagte Luca zu fragen.

Ein Anflug von Unmut verschattete Rossis Gesicht.

«Ihr Mann kann nur am Wochenende kommen, er führt eine gut gehende Anwaltspraxis, eine Welt voller Telefone, Akten und Sekretärinnen.»

«Verdient er viel, der Herr Rosenbaum?»

«Säcke voller Geld!» Rossi lachte.

Im Haus setzte wieder das Klavierspiel ein.

«Bachs Fugen», sagte Rossi. Als junges Mädchen habe sich die Signora auf die Laufbahn als Pianistin vorbereitet, doch nach einem Unfall sei ihr Daumen steif geworden, und sie habe ihre Pläne aufgeben müssen.

2

Sie saß versunken am Klavier.

Die Leidenschaft für die Klangwelt war wie ein Rausch, eine Droge, gefährlich und auflösend und schwächend, würde sie später in ihr Tagebuch schreiben. Wenn sie auf ihre Hände blickte, hörten sie auf, ein Teil von ihr zu sein. Es waren die Finger der Mutter, die leicht und rasch über die Tasten glitten. Sie war wieder das Mädchen Aline, das am Tisch seine Schulaufgaben machte, in Sichtkontakt mit dem leicht geneigten, schönen, etwas verbitterten Gesicht am Klavier.

«Bist du bald fertig, Aline? Willst du draußen bei den Kindern sein oder mit mir vierhändig spielen?»

Aline wählte immer die Musik. Auch bedeutete ihr das Zusammensein mit der Mutter mehr als der Kontakt mit Gleichaltrigen. Seite an Seite saßen sie dann am Klavier. Die Linien ihrer Klangmelodien bewegten sich aufeinander zu, entfernten sich, kamen wieder zusammen, verschmolzen im Pianissimo des Schlussakkords in eins. Der Vater kam nach Hause, rücksichtsvoll ging er auf leisen Sohlen, auch die Schwester trat ins Zimmer. Aber es gab nur die Mutter und Aline, die anderen standen am Rand des Lichtkegels, den der Leuchter auf die Tasten warf.

Später wird man sich fragen, ob es neben Aline wirklich noch eine andere Tochter gegeben habe. Der Vater, der

Apotheker, wird in der Rückblende blass und überflüssig, ein Stuhl, den man zur Seite schiebt.

Eifersüchtig wacht die Mutter über ihre Zweisamkeit.

«Du wirst die Aufnahme in die Musikakademie schaffen, Aline.»

Hoffnungsvolles Kind einer unglücklich verheirateten Frau.

Die aus Thun stammende Mutter hatte einen Mann namens Ducommun geheiratet. Seine Vorfahren hatten sich während der Hugenottenkriege aus Südfrankreich in das neuenburgische Valangin geflüchtet. Der Gatte, zunächst Apotheker in Vevey, wo Aline am 9. Februar 1889 zur Welt kam, wurde später als Leiter der *Insel-Apotheke* nach Bern berufen. Die Mutter hätte sich mehr Glanz in ihr Leben gewünscht, vielleicht war sie als junge Verlobte geblendet gewesen vom Salon des kosmopolitischen Schwiegervaters.

Als Leiter des Friedensbüros in Bern hatte der alte Ducommun Politiker empfangen und schönen Friedensbaroninnen wie der Bertha von Suttner die Hand geküsst, 1902 wurden seine Verdienste sogar mit dem Friedensnobelpreis gewürdigt. Der junge Ducommun war von anderer Natur: bedürfnislos und trocken, in den Augen seiner Frau ein Pillendreher. So blieb ihr nur die Musik und die begabte Tochter.

Mit sechzehn bestand Aline die Aufnahmeprüfung des Konservatoriums von Lausanne. Nun musste sich die Mutter von der Tochter trennen, doch sie behielt Aline auch auf Distanz im Auge. *Als Kind und lange Zeit darüber hinaus war ich ganz in meine Mutter verloren.* Aline empfand in den kommenden Jahren diese Abhängigkeit als Druck. Wie konnte sie sich von diesem Zauberbann befreien? Inzwischen war sie achtzehn geworden, dennoch verlangte die Mutter an jedem Wochenende Rechenschaft, wollte wissen, was sie gearbeitet hatte und mit wem sie umging. Sie warnte vor Männern.

«Triffst du noch Willy, Aline?»

«Nur gelegentlich.»

«Er ist ein verbummelter Student, lass ihn.»

Willy studierte schon seit Jahren Chemie, sprach viel über Freud und Psychoanalyse, psychische Krankheiten, sexuelle Abartigkeit. Wenn er mit ihr im Café saß, die Zigarette lässig im Mundwinkel, schien er die Geheimnisse des Lebens zu kennen, auf die sie neugierig war. Neben ihm fühlte sie sich erwachsen.

Eines Abends zogen sie in Lausanne durch die Altstadt, gelangten im Mondschein auf einen Rebberg. Unten glänzte der See. So trieben sie stundenlang umher, als warteten sie beide auf etwas. Zwischen den Rebzeilen zog Willy die junge Freundin zu Boden.

Die Mutter, von Dritten über das Liebesverhältnis in Kenntnis gesetzt, griff zu einer List. Sie ließ ein Telegramm senden mit der Botschaft, die Mutter liege im Sterben, die Tochter müsse unverzüglich heimkommen. Aline quälte das schlechte Gewissen, sie dachte, die Geschichte mit Willy habe Mutters Herz angegriffen, sie mache sich vielleicht schuldig an ihrem Tod.

Sie nimmt den nächsten Zug. In Bern angekommen, rennt sie, um keine Zeit zu verlieren, vom Bahnhof aus den Weg nach Hause. Dort trifft sie die Mutter, auf einer Chaiselongue mit der Katze spielend, gesund im Salon. Aline fällt in Ohnmacht.

Als sie wieder zu sich kommt, beginnt sie zu schreien. Die Mutter stößt sie in ihr ehemaliges Kinderzimmer und schließt hinter ihr ab. Aline weint sich in den Schlaf.

Als sie erwacht, findet sie sich auf ihrem Bett, angekleidet, das Handtäschchen noch fest in der Hand. Es ist dunkel im Zimmer. Draußen zirpen Grillen, die alten Bäume rauschen.

Sie steht auf, will das Zimmer verlassen, doch es ist abgeschlossen. Sie trommelt gegen die Türe. Die Mutter öffnet, nimmt das Täschchen der Tochter an sich, streicht ihr übers Haar und sagt: «So, jetzt bist du zu Hause.»

Tagelang ist Aline wie gelähmt: *Ich spürte einen furchtbaren Schlag in mein Leben hinein. Nachher war ich lange Tage wie blödsinnig. Und noch Wochen nachher, Monate, ja vielleicht bis heute, ist mir das Entsetzen über dieses Unbegreifliche im Blut geblieben. (…) Wenn eine Mutter so war, wie erst waren die Männer?*

Die Eltern sahen schließlich ein, dass sie ihre Tochter nicht vom Leben aussperren konnten. Man erlaubte ihr, im Elsass eine Stelle als Sekretärin bei einem Spinnereibesitzer anzunehmen, Pazifist und Freund ihres 1906 verstorbenen Großvaters Ducommun. Bei den Stehlins, deren Tochter Marie Anne ungefähr in Alines Alter war, wurde sie wie ein Familienmitglied aufgenommen. Mit ihrer Zweisprachigkeit und Intelligenz wurde sie auch im Büro des Spinnereibesitzers unentbehrlich.

Im August 1914 platzte die Idylle.

Sie saßen bei einem Festessen, als Fernand Stehlin weggerufen wurde und aufgeregt mit der Nachricht zurückkam: Die Franzosen sind im Elsass einmarschiert, der Krieg ist ausgebrochen!

Krieg, mitten in Europa, zwischen Nachbarvölkern? Aline hatte als Kind von Großvater Ducommun gehört, die Menschheit entwickle sich ständig weiter und werde in Kürze den Krieg zur Lösung von Konflikten überwunden haben!

In den Räumen des Internationalen Friedensbüros, das sich in Bern ironischerweise an der Kanonengasse 2 befand, hatte Aline als Kind bei den Zusammenkünften den Friedensengel spielen müssen. Sie machte das mit Anmut und großem Ernst. Wenn das Licht wieder anging, servierte ein Diener in Livree an den Tischchen Kaffee und Kuchen. Aline, immer noch im Engelskleid, bekam eine heiße Schokolade. Die Baronin von Suttner rauschte in ihrem Taftrock an. Sie tätschelte Aline mit einer gut gepolsterten, von Juwelen blitzenden Hand die Wangen und sagte: «Mädchen, sei froh! Du wirst keinen Krieg mehr erleben müssen!» Die Baronin war in der ganzen Welt berühmt geworden mit ihrem Buch *Die Waffen nieder*, am Beispiel des Schicksals einer Wiener Familie hatte sie gezeigt, wie sinnlos Kriege sind. «Nie wieder Krieg», hieß die Parole. Auf den Druck des Internationalen Friedensbüros hin wurde sogar aus den Kaufläden das Kriegsspielzeug entfernt.

Als der Großvater zusammen mit seinem Freund Gobat in Schweden den Friedensnobelpreis erhielt, hatte Aline als Dreizehnjährige diese Ehrung miterlebt.

Und nun war ein Konflikt ausgebrochen, der sich bald zum Weltkrieg ausweiten sollte. Auch im privaten Rahmen schien seine zerstörerische Energie zu wirken: Fernand Stehlins Ehe brach auseinander. Der Fabrikant floh mit seiner Tochter vor dem Kriegsgeschehen nach Zürich, wo er in einer Liegenschaft am See seinen Spinnereibetrieb wieder aufbaute, seine Tochter Marie Anne begann bei der Laban-Gruppe in Zürich Tanz zu studieren.

Aline besuchte die Freundin für ein Wochenende in ihrer kleinen Zürcher Wohnung. Auch Vater Stehlin habe sich angemeldet, sagte Marie Anne und machte sich über den Grund keine Gedanken.

Am Abend bestand der Endvierziger darauf, Aline ohne seine Tochter zum Essen in ein Lokal an der Limmat einzuladen. Dort gestand er ihr, er könne ohne sie nicht mehr leben, er wolle sie heiraten.

Ohne Zweifel schmeichelhaft für eine junge Frau, dass ein reicher, erfahrener Fabrikant sie begehrte, doch das Leben hatte soeben für eine Komplikation gesorgt. Auf einer Bergtour im Berner Oberland hatte Aline den aus Russland stammenden Studenten Wladimir Rosenbaum kennen gelernt.

Aline mochte an diesem Abend nicht viel zu dem Antrag sagen. Stehlin war für sie ein alter Mann, den sie seit den Tagen im Elsass Papa nennen durfte, und es störte sie, dass dieser Mann am nächsten Morgen auf den Knien an ihr Bett kam, um ihre Hand zu küssen. Er liebe sie unsterblich, sagte er, ein Ausdruck, der sie nervte aus seinem Mund. War ein solcher Aufruhr der Gefühle bei einem reifen Menschen normal?

Noch immer mischte sich die Mutter in Bern in die Liebesdinge ein. Der junge, mittellose Student mit seinem unkonventionellen Gebaren missfiel ihr, Stehlin schien ihr eine größere materielle Sicherheit zu bieten.

3

«Die menschliche Psyche ist der Kontinent, den unser Jahrhundert zu erforschen hat», sagte Federica, Lucas Kusine.

Sie war gegen Mittag aus Locarno in Comologno eingetroffen. Eine kleine Staubwolke wehte auf, als der Postwagen auf dem Platz hielt.

Luca nahm ihr die Reisetasche ab und küsste sie scheu auf beide Wangen, denn Federica, Lehrerin an einer Mädchenschule, war mit ihren fast dreißig Jahren für ihn eine Respektsperson. Sie sah hübsch aus, wenn auch etwas streng mit ihrem schwarzen, in der Mitte gescheitelten Haar.

Aus demselben Bus war auch ein Chinese ausgestiegen. Für Luca und die Dorfbewohner sahen sich Chinesen ähnlich wie ein Ei dem andern, doch fiel Luca auf, dass dieser Fremde nicht identisch war mit seinem Landsmann, der früher in der Barca seine Ferien verbracht hatte. War der Erste, ein Professor an der ETH in Zürich, stets unauffällig, auf europäische Art gekleidet, so trug der Neue ein nachtblaues langes Brokatgewand mit Stehkragen, das den Kopf halslos machte und klein erscheinen ließ, das Gesicht verdeckte eine große dunkle Brille.

Am späten Nachmittag spazierte Luca mit Paolo Rossi nach Spruga hinauf. Auf halbem Weg, wo der Wasserfall in zwei Etappen ins Tal stürzt, begegneten sie der Sciora und dem Chinesen.

«Er ist ein großer Kenner der französischen Literatur», raunte Paolo seinem Freund zu. «Er macht Gedichte wie sein Freund Paul Valéry und fordert die Sciora auf, selber welche zu schreiben.»

Als sie auf gleicher Höhe waren, trat die Sciora zu Rossi und wechselte mit ihm ein paar Worte.

Luca hatte die Frau noch nie aus der Nähe gesehen. Sie kam ihm größer vor, als er aus der Ferne gedacht hatte, die Gestalt schlank und geschmeidig in langem Rock und ärmelloser Bluse, das Gesicht hübsch und lebendig mit den munteren dunklen Augen und den aufgeworfenen Lippen. Auch mochte er ihre Stimme mit dem neckischen Tonfall.

Lucas Bewunderung war der Sciora nicht entgangen. Sie fragte ihn mit einem Lächeln: «Bist du nicht mit den Degiorgis verwandt? Gehst du nicht aufs Gymnasium? Wohnst du nicht in den hinteren Häusern, gegen den Friedhof hin?»

Luca, begossen vom milden Regen der Fragen, verschlug es die Sprache. Durch ein leichtes Nicken zeigte er, dass alles mit Ja zu beantworten war.

«Ach», sagte sie, abermals lächelnd, «bei eurem Haus wächst so viel Löwenzahn, könntest du mir nicht ab und zu welchen für meine Kaninchen bringen? Den mögen sie so gern.»

Dann wandte sie sich wieder an Rossi: «Wenn wir wieder ein Tanzfest machen in der Barca, dann vergiss nicht, deinen jungen Freund mitzubringen!»

Der Chinese, der Liang Tsong Tai hieß, war während des Gesprächs höflich zur Seite getreten und vertiefte sich in den Anblick des Wasserfalls. Vom Weg entzweigeschnitten, stob das Wasser über die Felsen und sandte einen eisigen Hauch herüber.

Am andern Morgen sammelte Luca Löwenzahn. Das dicke Blattbündel fest in der Hand, hoffte er, die Sciora nehme es persönlich entgegen. Doch nur die Köchin Maria ließ sich in der Barca blicken: «Lege das Grünzeug im Flur auf die Holzbank», hatte sie nicht unfreundlich, aber bestimmt gesagt.

Federica wohnte nun auch für ein paar Tage bei der Großtante, auf der Holzveranda sonnte sie ihre Beine. Als sie Luca kommen hörte, fragte sie über den Rand ihres Buches: «Wann bringst du wieder Kaninchenfutter zur Barca?»

«Morgen vielleicht, warum?»

«Ich interessiere mich für die Wandbehänge der Sciora. Hast du schon ihren Webstuhl gesehen?»

Luca schüttelte den Kopf. Er gab zu, dass er noch nie im Inneren des Palazzo gewesen war.

«Was, ein Gymnasiast und immer noch so scheu?»

Sie funkelte Luca mit ihren schwarzen Augen an und hieß ihn, der Sciora am nächsten Morgen Grüße zu bestellen: «Sag ihr, deine Kusine brenne darauf, die Wandbehänge zu sehen, sie wolle sich im Winter einen Webstuhl kaufen! Also, du besuchst sie morgen im Palazzo?»

Er versprach es.

Wie immer während der warmen Jahreszeit stand die Eingangstür zur Barca offen. Schnitzereien von Menschenköpfen und Tieren bedeckten die beiden eichenen Türflügel, als sollten sie den Palazzo bewachen. Auf den grauen Granitboden des Flurs fiel nicht ein Schatten, kein Laut war zu hören. Auch in der Küche bewegte sich nichts, und Luca erinnerte sich, die Köchin mit dem Chinesen beim Einkaufen im Dorf gesehen zu haben. Seine Beklemmung überwindend, stieg er die Treppenstufen zum ersten Stock hinauf, schien ihm doch, er habe von oben Rossis Stimme gehört – es war die Zeit der Italienischstunde.

Im Korridor, neben altertümlichen Waffen, standen zwei Türen einen Spaltbreit offen, die eine links, die andere rechts. Luca zögerte, entschied sich für rechts und verharrte auf der Schwelle des Salons.

Eine lichte Welt tat sich auf, Kristallspiegel, goldgerahmte Bilder, zierliche Möbel mit Schalen voller Teerosen, und drüben der blanke, sich auf dem Parkettboden spiegelnde Flügel.

Den Kopf wendend, entdeckte Luca auf der anderen Seite des Raumes ein ausladendes Kanapee. Der Atem stockte ihm, denn da lagen, beinahe unbekleidet, still nebeneinander die Sciora und Rossi. Die Frau hatte mit einer sanften Geste den Arm um Rossis Schultern gelegt. Beide hielten die Augen geschlossen. So lagen sie in der Lichtbahn der Fensteröffnung, ein Bild des Glücks.

Ein nie gekanntes Gefühl überkam den Dreizehnjährigen, die Versuchung, seine Kleider abzuwerfen, sich still zu den beiden zu legen, um teilzuhaben an einer paradiesischen Welt.

Die Sciora, deren eine entblößte Brust er sah, glich den biblischen Frauenfiguren in der Kuppel der Kirche, wo wehende Tuchbahnen da und dort nackte Haut aufblitzen ließen. Niemand, nicht einmal der sonst so prüde Pfarrer, nahm daran Anstoß. Auch über der Szene auf dem Kanapee lag Unschuld, da war nichts von den schmutzigen Andeutungen und Zweideutigkeiten, wie sie Luca auf dem Pausenhof hörte.

Wie lange hatte der Moment seliger Entdeckung auf der Schwelle gedauert? Die Zeit war still gestanden, und plötzlich war er in sie zurückgefallen und sah sich ernüchtert von außen: Sein Verstand sagte ihm, er sei ein Eindringling und Zeuge eines Geheimnisses.

Lautlos verließ er den Raum, ging durch die Türe mit den feixenden Köpfen, entfernte sich eilig.

Erst auf der Straße bemerkte er den Strauß Löwenzahn in der verschwitzten Hand, er warf ihn hinter den Maschendraht eines Hühnerhofs. Zu Hause wusch er sich in der Küche die Finger, doch die Flecken von der weißen Milch des Löwenzahns brachte er trotz heftigen Reibens nicht weg.

Die Kusine hatte ihm kopfschüttelnd zugeschaut.

«Und, was sagt die Sciora?»

«Ich habe sie nicht gesehen.»

Die Kusine kniff die Lippen zusammen und beschloss, da sie nur kurze Zeit in Comologno war, Luca am nächsten Tag zum Palazzo zu begleiten.

Am nächsten Vormittag erschien Luca die Barca in einem anderem Licht; als habe das Schiff die Möglichkeit, sich mit seinen Passagieren zu verwandeln. Den Ort der gestrigen Liebesszene betraten sie nicht, die Sciora blieb mit ihren Gästen im Flur, wo einige der Webarbeiten an der Wand hingen. Erfreut über Federicas Interesse sprach sie von ihrem Plan, im Dorf einen Webkurs durchzuführen, als Dank an das gastfreundliche Tal! Im Winter könnten sich die Frauen im Onsernone durch dieses Handwerk ein Zugeld verschaffen. Es falle ihr auf, wie wach und neugierig die Frauen hier oben seien, auch die Männer unternehmungslustig, wie sonst hätten die Leute aus Comologno im Ausland immer wieder ihr Glück gemacht?

Federica freute sich über das Lob. Lange vertiefte sie sich in einen Wandteppich mit rhythmisch verteilten Blättern: «So schlicht, diese Anordnung», stellte sie fest. «Und wohl deshalb so wirkungsvoll.» Der Entwurf stamme von Hans Arp, sagte die Sciora und fügte hinzu, die schönsten Wandteppiche habe wohl seine Frau, Sophie Taeuber, gewebt.

Doch nun wolle sie Federica den Webstuhl zeigen, zur Abwechslung habe sie ihn im Schlafzimmer aufstellen lassen. Die Tür, die Luca gestern verschmäht hatte, ging auf.

Das Zimmer mit den Rosen!

Natürlich wusste Luca, was die Terza über diesen Raum erzählte: Wer im Rosenzimmer schlafe, den trage man bald mit den Füßen voran hinaus. Und jetzt stand er vor diesen karminroten Rosen. Ist es die rote Farbe, die Tod bringt?, überlegte er. Oder atmen die Rosen nachts einen giftigen Hauch aus?

Er schielte zu Alines Himmelbett, und sofort legte seine Phantasie unter den blauen Baldachin eine nackte Frau.

Die Rosen lösten sich von der Wand, trieben verstreut als Seerosen um ihr Lager.

Schweißperlen traten auf Lucas Stirn. Er wandte sich vom Bett ab, und die Rosen ordneten sich rasch wieder an der Wand. Der Abschluss des Dekors, ein in Trompe-l'œuil-Technik gemaltes Band, sah aus, als sei es aus Stoff und bauschte sich im Luftzug.

Am Fenster sog Luca die frische Luft ein. Der Geruch von Blättern wehte vom Garten herauf. Unten, auf dem knirschenden Kiesweg, ging der Chinese, das offene Buch vor der Brille, und rezitierte Gedichte. Wörter wie farbige Vögel schwirrten ins Zimmer: la prairie, les nuages, la lune.

Die Sciora war ebenfalls ans Fenster getreten und hörte gebannt zu.

«Stimmt es, dass Sie auch Gedichte schreiben?», wagte Luca zu fragen.

Sie nickte. «In französischer Sprache. Man wird sie in Paris drucken.»

Sie blickte Luca an mit einem belustigten Ausdruck um die Lippen. Luca betrachtete ihre leicht nach oben zugespitzte, neugierig erscheinende Nase.

«Du hast unwahrscheinlich blaue Augen», sagte sie.

«Von meiner verstorbenen Mutter», sagte er.

So verharrten sie eine Weile in gegenseitiger Betrachtung, bis eine Frage von Federica die Sciora zurückholte: «Sie weben da ein seltsames Fischbild. Woher dieser Einfall?»

«Ein Traumbild. Ich werde es Carl Gustav Jung widmen.»

«Dem berühmten Psychoanalytiker? Sie kennen ihn persönlich?» Federica, die sich brennend für Psycholo-

gie interessierte, bekam ihren bohrenden dunklen
Blick.

Die Sciora lächelte. «Es ist eine Bekanntschaft, die ins Jahr
1917 zurückreicht …»

4

Zürich während des Ersten Weltkriegs, eine seltsame Oase. Als die Emigranten in Scharen über die Grenzen drängten und vom Kriegsgeschehen berichteten, begann sich auch unter den Einheimischen Nervosität breit zu machen: Würde die Schweiz verschont bleiben? Konnte man alle Flüchtenden aufnehmen? Würde man ohne Kohle, ohne Weizen und Fleisch aus den Nachbarländern überleben? Schon wurden in der Stadt gewisse Lebensmittel knapp.

Unter dem Eindruck der Bedrohung entstand ein neues Lebensgefühl: Man hielt sich an die Gegenwart, der Tagesablauf wurde hektischer. Die Stadt, nun bevölkert von Emigranten, war zum Schmelztiegel moderner Ideen geworden, sie breiteten sich aus mit der Geschwindigkeit eines Steppenfeuers.

Der Krieg ist Unsinn. Man kann sich gegen Unsinn nur mit Unsinn wehren. Der deutsche Emigrant Hugo Ball, der dies behauptete, eröffnete 1916 im Zürcher Niederdorf die Künstlerkneipe *Cabaret Voltaire*. Künstler, die sich in der Folge Dadaisten nannten, protestierten mit bizarren Texten gegen jene Mentalität, die Kriege erst möglich macht.

An den regelmäßigen Vorstellungen nahm auch die Tanzgruppe von Rudolf von Laban teil, der die Stehlin-Tochter angehörte.

Marie Anne, von den Dada-Abenden begeistert, besorgte ihrer Freundin Aline für die nächste Aufführung Karten. «Nein, die zweite Karte ist nicht für Papa», sagte Aline augenzwinkernd, «der Student Rosenbaum wird zum Wochenende aus Bern kommen!»

Marie Anne empfing ihre Freunde am Eingang des Theaters und machte sie in der Künstlergarderobe bekannt mit dem «Stoßtrupp» des Kabaretts: mit Hugo Ball und Emmy Hennings. Mit Richard Huelsenbeck, Tristan Tzara, Marcel Janco. In einem Winkel fanden sie Hans Arp, der seiner Freundin Sophie Taeuber eben in ein von ihm entworfenes Kostüm half: «Ein bisschen steif ist es, Sophie, zwäng deine Arme durch die Papierröhren!»
Mit Arp, dem Künstler aus dem Elsass, kommt Wladimir Rosenbaum rasch ins Gespräch. Beide sehen im Krieg eine Kapitulation der Menschlichkeit. Arp, der sich gleichermaßen als Deutscher und Franzose empfindet, fühlt sich durch das Gemetzel zwischen den beiden Völkern innerlich entzweigerissen. Um der Einberufung ins deutsche Heer zu entgehen, sei er mit einem der letzten noch fahrenden Züge nach Paris gereist. Doch kaum in der Seinestadt ausgestiegen, habe man ihn seines deutschen Namens wegen der Spionage verdächtigt – also sei er geradewegs nach Zürich geflohen.
Hier, im Schatten der Weltgeschichte, protestiere man verbal gegen den Wahnsinn des Krieges.
«Mit Dada?»
Arp nickte. «Dada, das Einzige, das gegen den Ekel hilft.»
Doch nun müsse er für die Vorstellung noch schleunigst die Klamotten wechseln.

Tatsächlich, Arp steckte noch in einem für Emigranten erstaunlich eleganten Anzug: Hosen ohne Aufschläge, Schuhe ohne die damals üblichen Kappen.

«Spezialanfertigung?», fragte Aline.

Arp grinste. Sein längliches Clowngesicht nahm einen schuldbewussten Ausdruck an.

«Lieber nage ich am Hungertuch, als dass ich Allerweltskleidung trage. Doch nun muss ich gehen, ich hoffe, man sieht sich bald wieder?»

«Oh ja», sagte Rosenbaum schnell, «ich werde nun oft nach Zürich kommen», und er bedachte Aline mit einem viel sagenden Blick.

Die meisten Zuhörer in der Kneipe waren nach Sprache und Aussehen Emigranten. Marie Anne, die nicht mittanzte, zeigte zur Decke und den schwarzen Wänden.

«Alles von Arp bemalt, auch die Bilder sind von ihm. Doch die eigentliche Sensation ist seine Freundin, Sophie Taeuber. Wie sie tanzt! Ein Naturtalent. Bei Laban hat sie in Ascona in einem Sommerkurs Ausdruckstanz gelernt, doch sie tanzt ihre eigenen Ideen. Dabei ist sie Malerin und unterrichtet die Textilklasse der Zürcher Kunstgewerbeschule!»

Sophie tanzt.

Die Bühne, in grüne Lichtbündel getaucht, wird zur Wiese, das Mädchen Sophie zum Käfer. Er klettert eine Grasrispe hinauf, der Halm biegt sich bedrohlich. Der Käfer verliert sein Gleichgewicht, landet auf dem Rücken, die schwarzen Beinchen in wirbelnder Bewegung. Da gelingt ihm eine Drehung. Er besinnt sich darauf, dass er fliegen kann! Sophies Fußspitzen berühren kaum die Bühne.

Aline bewundert Sophie und wünscht, sie wieder zu sehen. Sie erhält durch Marie Annes Vermittlung eine Einladung in die Wohnung der Künstlerin an der Magnolienstraße. Zu einer nachmittäglichen Fête costumée! Ihre Kommilitonin Mary Wigman habe neulich so ein Fest gegeben, nun sei man auf den Geschmack gekommen.

Wie bei der Wigman ist Sophie zuständig für Kostümfragen, auf der Einladung der Vermerk: *Kleidung phantastisch! futuristisch! simultanistisch! kubistisch!* Sophie empfängt in Pluderhosen, Brokatwams, Turban. Ihre Schwester Erika Schlegel, Bibliothekarin im Psychologischen Klub, reicht als Mohrin verkleidet den Willkommenstrunk. Später gibt es Tee und Kriegskonfekt aus Haferflocken, in Zürich ist das Weißmehl knapp, doch das Essen ist bei so viel Unterhaltung Nebensache.

Arp skandiert mit drei seiner Dadaisten Simultangedichte – eine geräuschvolle Angelegenheit, man kann nur hoffen, dass die Wohnungsnachbarn derweil am See spazieren.

Freund Neitzel, als Derwisch verkleidet, liest aus der Arp'schen *Wolkenpumpe*, Hauptprobe für die Ende des Monats stattfindende Eröffnung der Dada-Galerie.

Aus dem gemieteten Grammophon kommt heiße Musik. Tristan Tzara springt auf und macht den Twostep vor. Das Beispiel reißt hin, man drängt sich zwischen den Möbeln, steppt, zuckt, schlenkert die Glieder. Nur Stehlin sitzt mit hängenden Schultern, aufgeklebtem Schnurrbart und verrutschtem Fez auf einem von Sophie knallgelb gestrichenen Stuhl. Er kann nicht begreifen, warum alle um ihn herum fröhlich sind, wo doch die meisten

dieser jungen Leute nur knapp den Schützengräben ent-
kommen sind.

«Warum? Eben, deshalb!», Aline lacht ihm zu. Möchte
den Freund am Arm nehmen. Möchte ihn auf die Tanzfläche führen. Doch Fernand grollt ihr, weil er von
Rosenbaums Besuch vorige Woche erfahren hat.

Auf dem Heimweg gehen Aline und Fernand in der See-
anlage labyrinthische Wege, ihr Dilemma treibt sie um,
auch die Gespräche gehen im Kreis. Plötzlich bleibt Fernand stehen, reißt sie an sich. Sagt mit beschwörender
Stimme: «Ohne dich will ich nicht leben! Entscheidest du
dich gegen mich, werfe ich mich vor einen Zug!» Im
Schein einer Laterne sieht Aline seine starren, umschat-
teten Augen, ein bisschen Leim klebt ihm vom falschen
Schnauzbart noch auf der Oberlippe.

Sie befreit sich aus seiner Umklammerung. Doch noch
im Traum hört sie die drohenden Sätze wieder, fühlt sich
verfolgt.

Anderntags trifft sie in einem Café zufällig Sophie Taeu-
bers Schwester, Erika Schlegel.

Sie sprechen vom Fest. Die Schlegel hat beobachtet, dass
Stehlin niedergeschlagen war, und Aline bricht in Tränen
aus, erzählt von ihrer Bedrängnis.

Erika Schlegel hört ruhig zu. Spricht dann über die jah-
relang andauernde Depression ihres Mannes und rät zu
einer Analyse bei Dr. Jung. Ihr Mann, von Jung geheilt,
habe seine gewohnten Tätigkeiten wieder aufnehmen
können, doch sie stünden mit dem Arzt weiterhin in
Kontakt, besuchten Vorträge und Gruppengespräche im
Psychologischen Klub. Dieser Klub, von Jung angeregt,

werde finanziell von einer seiner amerikanischen Analysandinnen unterstützt, einer Tochter von Rockefeller, man habe an der Gemeindestraße ein von wilder Rebe umsponnenes, idyllisches Haus bezogen. Sie, Erika Schlegel, sei Bibliothekarin des Klubs …

Aline rief Professor Jung noch am selben Tag an. Zu ihrem Erstaunen war er bereit, ihren depressiven Freund Stehlin schon am nächsten Nachmittag zu empfangen.
Aline begleitete Fernand zu Fuß nach Küsnacht. Es war ein heller Vorfrühlingstag, die Äste der Uferbäume noch kahl. In den Seeanlagen waren Gärtner mit der Bepflanzung der Beete beschäftigt.
In Jungs Sprechzimmer erwarteten sie, einen alten Magier zu treffen, und waren erstaunt, einen vitalen, umgänglichen Mann vorzufinden, der das Problem sofort durchschaute: Er wolle mit Stehlin allein sprechen, später aber, da ja Aline mit beteiligt sei, auch ihr einige Fragen stellen.
«Heute noch?» Aline fragte es ein bisschen erschrocken.
«Nein», sagte er lächelnd und blickte von seinem Notizbuch auf, «das nächste oder übernächste Mal.»
Am Seeufer wartete Aline das Ende der Besprechung ab. Der Föhn hatte die Wasserfläche aufgeraut, tanzende Schaumkronen gezaubert, hinter denen am Horizont die noch weiß verschneiten Berge standen. Die Bergwanderung im Berner Oberland mit Wladimir Rosenbaum und seinen Freunden fiel ihr ein. Die Gruppe junger Leute war vom Pfad abgekommen, im unwegsamen Gelände drohte Gefahr – Wladimir war der Einzige, der kühles Blut bewahrt hatte.

Bei jeder weiteren Begegnung mit Rosenbaum war Aline beeindruckt von seiner kritischen und doch humorvollen Art, Dinge und Verhältnisse zu durchschauen.

Weshalb bekannte sie sich nicht mit leichtem Herzen zu ihm? Was warnte sie vor dieser Liebe? War es noch immer das Telegramm der Mutter, die Liebe als Fessel verstand?

Zwei Stunden später trat Stehlin mit müdem, aber entspanntem Gesicht aus der Jung'schen Praxis. Stolz zeigte er die Bücher, die Jung ihm zur Lektüre empfohlen hatte, und lobte die diskrete Art der Befragung. Zum nächsten Termin ging Stehlin, diesmal unbegleitet, wieder zu Fuß nach Küsnacht. Nach zwei, drei weiteren Besuchen fing er an, Pläne zu schmieden, und Aline bemerkte erleichtert, dass sie in diese Pläne nicht mehr einbezogen war. Dankbar vermerkte sie in ihrem Tagebuch, Stehlin erkenne nun, dass er auf der Suche sein müsse nach seiner eigenen Identität: Leben kann nicht delegiert werden, auch nicht an eine junge Partnerin.

Nun bat Jung Aline zu sich, sie würde ihre ersten Eindrücke notieren. *Er bot das Bild eines kräftigen, vitalen Menschen, von hoher Denkkraft gepaart und mit ungewöhnlichem Ahnungsvermögen und einer erstaunlichen Hellhörigkeit für das Hintergründige, einem sicheren Gefühl ohne Sentimentalität, was ihm oft den Vorwurf eintrug, er sei hart, und mit einer erquickenden Lust an den Freuden des Daseins …*

Sie brauchte nicht viel zu schildern, ihr Gegenüber wusste um die Wand, die Aline vom Leben aussperrte. Nach dem Gespräch war diese Mauer zwar nicht verschwunden, doch nahm Aline plötzlich Löcher wahr, durch die Helligkeit drang, als erhalte sie von der anderen Seite hoffnungsvolle Signale.

Sie entschloss sich zu einer Analyse bei Jung. Die Welt erschien ihr farbiger, Neugierde wurde wach auf das, was Leben sein könnte …

5

Und das Leben, bedroht durch den Krieg, schien in Zürich intensiver als anderswo.

«Hoppla, wir leben», wird Toller, das Donnern der Kanonen noch im Ohr, in den zwanziger Jahren schreiben.

Ende März 1917 kam Rosenbaum zur Eröffnung der Dada-Galerie nach Zürich; seit Stehlin Dr. Jung besuchte, musste Aline das Zusammentreffen der beiden Konkurrenten nicht mehr fürchten.

An den Wänden der Galerie neuartige Werke von Kandinsky, Klee, Segal und anderen, aber auch großflächige Wandteppiche, die Sophie Taeuber nach Arps Entwürfen gewoben hatte. Schon jetzt, als mittelloser Student, war Rosenbaum von der neuen Richtung der Kunst begeistert. Mit Corray, dem Ausstellungsmacher und Schulleiter, stimmte er überein: Was an der Bahnhofstraße 19, im Haus des Confiseurs Sprüngli in der Dada-Galerie, hängt, ist keine Nachahmung der Wirklichkeit mehr! Das *ist* Wirklichkeit!

Zur Eröffnung las Arp erstmals aus seinem Gedichtband *Die Wolkenpumpe*:

An allen enden
stehen jetzt dadaisten auf (–)
sie ahmen den zungenschlag und das zungenzucken

der wolkenpumpe nach
ein fürchterliches mene tekel zeppelin wird ihnen
bereitet werden ...

Tänzerinnen der Laban-Schule bewegten sich zu laut-starken Chants de nègres. Die Taeuber in einem schama-nistischen Kostüm tanzte Balls Lautgedicht *Die Karawane*. Seit der Beschwerde, als Lehrerin einer Zürcher Schule dürfe sie nicht als Tänzerin auftreten, versteckte sie sich hinter einem Pseudonym und einer Furcht erregenden Maske von Janco. Nach ihrem Auftritt ließ sich Hugo Ball in einem sperrigen Kostüm aus Pappe auf die Bühne tragen, auffällig der riesige, steife Mantelkragen, der durch Heben und Senken der Arme wie Flügel bewegt werden konnte.

Er lese Klanggedichte ohne Worte! Da die Sprache durch die Journalisten ruiniert sei, heiße es vorzudringen zu ihrer inneren Alchemie!

Seepferdchen und Flugfische, so lautet einer der Titel. Die Hörer reagieren exstatisch, erheben sich von den Stühlen, bewegen sich wie Fische zur Silbenmusik:

tressli bessli nebogen leila
flutsch kata
ballubasch
zack hitti zopp

Und noch einmal Sophie Taeuber. Sie tanzt einen Goldfisch, der in Gefangenschaft sein Gold verliert, schwimmt durchs Aquarium, stößt verzweifelt an Glas-wände. Beklemmende Stille, viele Zuschauer fühlen sich in dieser bedrängten Zeit an die eigene Lebensangst erinnert.

Über diesen Abend schrieb Hugo Ball Jahre später: *Oh die Tage, da Hans Arp zum ersten Mal seine Gedichte, seine «Wolkenpumpe», vorlas und da Sophie Taeuber noch zwischen Bildern von Kandinsky tanzte! Oh, die entzückten Abende täglich sich überstürzender Einfälle …*

Rosenbaum, der mittellose Werkstudent, er steht begeistert vor den Arp'schen Holzkompositionen. Später hält er fest, er sei der Erste gewesen, der sein Geld für eines dieser neuartigen Gebilde ausgegeben habe:

«Was willst du für das, Arp?»

«Fünf Franken.»

«Ich gebe dir hundert.»

Noch hat Rosenbaum diese hundert Franken nicht, doch der Elsässer Künstler fühlt sich verstanden, er bittet Rosenbaum mit Aline nach der Aufführung noch in ein Café.

Ins *Terrasse* oder ins *Odeon*?

Man entscheidet sich fürs *Odeon*, gemeinsam macht man sich auf den Weg. Sophie hatte sich in der improvisierten Garderobe umgezogen und trägt ein selbst geschneidertes malvenfarbenes Frühjahrskostüm. Auf der Brücke, im Seewind, hält sie mit der Hand die Jacke über der Brust zusammen, der Rock in neuer gewagter Kürze lässt unter dem Knie den Blick auf die Beine frei.

Unter den Kronleuchtern des Cafés, auf einem der ovalen Marmortische der Perlenbeutel der Emmy Hennings. Aline prüft mit der Fingerkuppe Härte und Glanz der Perlchen, bewundert das gestickte E: «Wer nimmt sich heutzutage noch Zeit für eine so aufwendige Arbeit?»

«Wer? Natürlich die Sophie!» Die Hennings lacht.

«Ein Beutel, wie Damen ihn tragen, welche die Straße machen», bemerkt Rosenbaum in seiner ungenierten Direktheit.

«Ach, ich habe ja in Köln wirklich die Straße gemacht», ruft Emmy, die wie ein Engel aussieht mit ihrem dunkelblonden Pagenkopf und dem herzförmig geschminkten Mund. Alles lacht. Man nimmt es als Scherz.

Doch Hugo Ball legt seinen Arm um ihre Schultern. «Ja, Emmy wäre sonst verhungert!»

Er beginnt zu philosophieren, verteidigt die Moral der Halbwelt. Rosenbaum kontert, ein schneller verbaler Schlagabtausch, der im Gelächter der Tischrunde endet.

Vom Nachbartisch starrt man herüber, versucht die sechs aus der lebhaften Runde einzuordnen:

Arp, dessen elegante Kleidung an einen Bankier denken lässt, wäre da nicht dieses eigenartige Clownsgesicht. Neben ihm die Taeuber, eine irritierende Mischung aus Hausbackenheit und Extravaganz. Rosenbaum, der brillante Redner, die Augen unter den lang gezogenen Lidern wie auf der Lauer. Seine Freundin Aline Ducommun eine auffallende Schönheit: hochgewachsen, eine aristokratische Frau, mit sprechenden dunklen Augen. Schließlich Ball und Emmy Hennings: ein Mönch neben einer Tingeltangel-Prinzessin.

Sorglos wirken sie, als sei nicht Krieg! Die Tischnachbarn bemerken es kopfschüttelnd, doch einer korrigiert: «Es sind Emigranten. Die junge Frau, die Hennings, habe ich an der Spiegelgasse singen hören. Mit diesem kalkhellen

Totengesicht, den geschminkten Lippen. Durch Mark und Bein ist mir der Gesang gegangen, nach der Melodie des alten Dessauer Marsches:

So sterben wir, so sterben wir,
so sterben wir alle Tage,
weil es sich so gemütlich sterben lässt!»

Das *Odeon* hatte sich inzwischen gefüllt, im Stimmengeschwirr der Café-Besucher nur wenige, die den einheimischen Dialekt sprechen. Die der Krieg in Europa vertrieben hat, geben sich hier ein Stelldichein. Neue Ideen werden im *Odeon* entworfen, Pläne geschmiedet. Hinten im Lokal an einem der Tischchen ein schreibender hagerer Mann, nur selten blickt er von seinen Blättern auf, die dicken Brillengläser blitzen im Licht der Kronleuchter. Ball grüßt, ohne von dem Kurzsichtigen bemerkt zu werden, ein paar Mal nach hinten, steht schließlich auf und wechselt mit dem Schreibenden ein paar Worte. «Es ist James Joyce», sagt Ball nachher zu seinen Freunden, «ein Schriftsteller, von dem man noch viel erwarten kann.» Jahre später, im Baumwollhof, wird Aline dem Iren wieder begegnen und seinen geistreichen Witz rühmen, an den Kulturabenden der Rosenbaums wird er Gast sein wie Joseph Roth, Robert Musil, Elias Canetti.

Die drei Freundespaare finden an diesem Abend zusammen, doch im Witz der Gespräche, im Feuerwerk neuer Ideen schwingt Existenzangst mit. Nur Sophie, die stillste in der Runde, verfügt – als Einzige der sechs – über ein regelmäßiges Einkommen.

43

«Arp betet hoffentlich um die Erhaltung deiner Arbeitskraft!», witzelt Ball, von dem man weiß, dass er sich durchhungert. Sophie lacht darüber, über Sorgen, die auch sie manchmal heimsuchen, spricht sie nie.

Sophie, Emmy und Aline. Selbt im *Odeon* ziehen sie die Aufmerksamkeit auf sich: selbstbewusste, ungebundene Frauen. Mit einer eigenen Welt und deshalb ohne Eile, sich an ihre Partner zu binden. Drei neue Paare, neue Formen der Liebe. Wie alles Neue lösen sie Unsicherheit aus. ‹Die Schweiz ist die Zuflucht all derer, die einen neuen Grundriss im Kopf haben›, notiert Ball am Ende dieses Tages.

Doch noch ist es früh am Abend.

Ob sie nicht Lust hätten, tanzen zu gehen, fragt Sophie. Ihre Schwester Erika habe im Psychologischen Klub einen Tanzabend organisiert. Aline, Emmy und Arp stimmen begeistert zu, Rosenbaum und Ball folgen nur, um ihnen den Spaß nicht zu verderben.

Erika Schlegel freut sich über den Zuzug, Jung habe zum Zweck der allgemeinen Auflockerung diese Abende angeregt, und sie, Erika, habe es sich nicht nehmen lassen, den besten Tanzlehrer der Stadt aufzubieten! Einen Spanier. Er zeigt neue Tanzschritte: Onestep, Foxtrott, als Krönung den Tango.

Man tanzt zu den Klängen eines von der Rockefeller-Tochter gestifteten Grammophons.

Schön, dass auch Max Pfister gekommen ist, der feingliedrige Architekturstudent, der im Psychologischen Klub mitmacht, er studiert bei der Perrotet an der Laban-Schule nebenbei noch Tanz. Der Tanz wird sein Leben verändern, unter dem Namen Max Terpis macht er später Karriere und wird Ballettmeister an der Oper in Berlin.

Rosenbaum tanzt eher schwerfällig und ungern, über seine Schulter hinweg beobachtet Aline, wie Arp mit Sophie durch den Raum schwebt. Den Rhythmen hingegeben, bewegt sich das Paar mehr und mehr nach einer eigenen Choreographie.

‹Kleben, Sägen, Weben gegen den Ungeist›, nennt Arp seine und Sophies Beschäftigung in der gemeinsamen Wohnung, und Aline stellt bei ihrem Besuch fest: Es hängt und steht da viel, aber alles von Sophies Hand wohl geordnet. An der Wand farbige Bänder, hinter die Sophie Raritäten steckt: Vogelfedern, Tannenzapfen, getrocknete Baumfrüchte. Auf Regalen Steine, nach Farbe und Form geordnet, indigoblaue Büchsen mit Farbtuben und Pinseln, Netze voll farbiger Wollknäuel, Bretter mit aufgehaspelten Goldfäden vor einer resedagrün gestrichenen Wand.

Aline ist gekommen, um sich Sophies Webstuhl anzusehen, aber nach dem Galerie-Abend geht es ihr vielleicht um Sophie selbst? Ihre Ruhe, ihr geheimnisvoll unergründliches Lächeln, das die Schülerinnen der Kunstgewerbeschule Mona-Lisa-Lächeln nennen, für Aline anziehend und irritierend zugleich.

Sie sei allein, sagt Sophie. Arp noch nicht zurück von einem seiner Streifzüge.

«Aber da steht er ja, dein Arp!» Aline zeigt auf den hölzernen Hutständer im Flur: Ein langer Holzstab mit einem gedrechselten Kopf, die Formen glatt geschliffen.

Nur der kräftige Keil der Nase. Und ein Ohr, wuchernd, kakteenartig.

Arps Ohr, Arps birnenförmiger Kopf.

«So hast du ihn immer bei dir», bemerkt Aline lachend und denkt: Woher nimmt sie den Witz, den Kopf ihres Liebsten zum Ständer zu parodieren? Während sie gleichzeitig ihrem Arp mehr als nur Reverenz erweist! Hat nicht Ball kürzlich mit verhaltenem Groll festgestellt: Arp, diesem liebenswürdigen Chaoten, diesem Tollpatsch in praktischen Dingen, nehme die Taeuber alles ab! Und fast eifersüchtig hat er die Dienstleistungen aufgezählt:

Sophie packt für Hans die Reisetasche,

Sophie liest für Hans den Fahrplan,

Sophie schreibt für Hans ans Steueramt,

Sophie verdient seine Wohnungsmiete,

Sophie wäscht, bügelt, kocht, und das alles neben ihrer Lehrtätigkeit! Das Ärgste: Sophie verzichtet auf eine glänzende Karriere als Tänzerin!

Aline tischt Sophie nur den letzten der Ball'schen Vorwürfe auf. «Tänzerin? Nein, ich verstehe mich vor allem als bildende Künstlerin!», sagt Sophie. Führt dann Aline durch die Zweizimmerwohnung. Zwar drängt sich im gemeinsamen Atelier der beiden Künstler alles auf kleinstem Raum, doch Sophie öffnet im Gespräch unsichtbare Räume. Aline versucht sich im Gegenzug zu öffnen, setzt zögernd Ahnungen, Zweifel, diffuse Pläne gegen Sophies Klarheit.

Sophie hört behutsam hin, urteilt nicht, lässt Menschen und Dingen ihr Geheimnis.

Weben, ja, das werde Aline befreien. Doch fehle ihr die

Zeit, Aline das Handwerk beizubringen, sie gebe ihr jedoch die Adresse einer tüchtigen Skandinavierin.

Arp, von seinem Streifzug am See zurück, leert seine ausgebeulten Taschen. Zu jedem Fundstück, das er auf den Tisch legt, berichtet er Sophie, wie man die bizarren Hölzer, Steine und Federn verwenden könnte.

Auf das Kochen des Teewassers wartend, ordnet die Freundin die Fundsachen ein, lobt das meiste als brauchbar, behält lange eine sepiafarbene Magnolienfrucht mit roten Kernen in der Hand. Arp hat sich im Nebenzimmer an einen Tisch gesetzt, man hört ihn mit einer Schere Papier schnipseln.

Tee? Nein, er sei schon in der Stadt eingekehrt.

Während Sophie Tee eingießt in viereckige, von ihr geformte und bemalte Tassen, entdeckt Aline an der Gegenwand ein Bild mit Vierecken und Triangeln.

«Diese rhythmische Anordnung, die Intensität der Farben!», ruft sie überrascht. «Ein neuer Arp?»

«Nein, es ist mein Bild», sagt Sophie. «Später möchte ich das Motiv weben.»

«Du bist ja besser als Arp!», ruft Aline provozierend laut, sie möchte, dass Arp sie hört. «Sophie, warum bist du so bescheiden? Stellst du nie deine eigenen Sachen aus?»

«Bescheidenheit? Damit ist es nun vorbei», ruft Arp von drüben, «Sophie wird im nächsten Jahr in Basel ausstellen, und das Triangelbild wird ein Glanzstück sein!» Sagt es und fährt weiter mit seinem Schnippschnapp.

Sophie ergänzt: «Ja, der *Werkbund Neues Leben* will mit der Ausstellung den Dualismus zwischen Kunst und Leben überwinden. Erziehung zur Schönheit als Lebensqualität … Mit diesen Grundsätzen stimme ich überein. Mein Lehrauftrag bringt mich zum Experimentieren, vor allem mit Textilien. Seit William Morris soll ja keine kunstgewerbliche Arbeit abgewertet werden!»

«Kunst ist nicht mehr elitär, sie wird in alle Lebensgebiete eindringen», ergänzt die Stimme von drüben.

«Sophie, du hast das schon in die Tat umgesetzt, ich mag deine selbst entworfenen Kleider, die eigenwilligen Alltagsgegenstände: Hutständer, kubischen Teetassen», will Aline rufen, da hört sie Arp auf Französisch fluchen.

Sophie springt auf, der Wind hat im Nebenraum das Fenster aufgestoßen und Arps Papierschnipsel vom Tisch gefegt. Der Künstler, eben noch erbost, starrt gebannt zu Boden. Gerät in Entzücken über die Art, wie der Zufall seine Schnipsel angeordnet hat; nach dem Zufallsprinzip wird er sie sofort auf einen schwarzen Bogen kleben!

Zeigt ihn Sophie. Lässt sich von ihr beglückwünschen.

Reibt sich, seine Collage betrachtend, die Hände wie ein vergnügtes Kind. Trinkt nun doch mit den Frauen Tee. Sagt auf Alines Frage, ja, auch seine Wortgedichte entstünden nach dem Zufallsprinzip. Der Setzer, der seine Handschrift kaum entziffern könne, verändere zuletzt noch das Ganze, gebe quasi dem Text den letzten Schliff. Der Unsinn hat also Methode?

Später, als sie wieder mit Sophie allein ist, erzählt Aline von der psychologischen Gesprächsgruppe bei Jungs Stellvertreter Herbert Oczeret. Da Jung während des Krieges oft im Militärdienst sei, habe er seine Analysanden dem jungen Arzt aus Siebenbürgen überlassen. Für Oczeret sei die Psychoanalyse eine Revolution von innen, sagt sie begeistert, sie verändere durch Befreiung, setze durch Aufspüren des Eigenen erotische, soziale und schöpferische Kräfte frei ...

Die Sitzungen fanden in Oczerets Privaträumen statt, einer großzügigen, hellen Parterrewohnung an der Böcklinstraße 37. Mittwochs fand man sich zahlreich bei ihm ein, war es doch in Mode gekommen, sich mit der eigenen Psyche zu beschäftigen. Und Oczeret verstand es, für sich einzunehmen. Der Stellvertreter rückte bald inhaltlich von Jung ab. Seine Gedanken, praktisch ausgerichtet und frisch formuliert, dokumentierte er in seinem Buch, *Die Nervosität als Problem des modernen Menschen*, das 1918 bei Orell Füssli erschien.

Auch Oczerets Frau hatte sich dem Beruf ihres Mannes verschrieben, sie analysierte und hatte wie er regen Zulauf. Von ihrem früheren Mann und vier Kindern getrennt, hatte sie von Oczeret wieder zwei Töchter. Das Paar, auf die Probleme der Runde eingehend, entlarvte auf heitere Art die geheimen Wünsche der guten Zürcherinnen und Zürcher, das meiste entpuppte sich als Verkniffenheit sexueller Art. Eine der Damen aus bester Gesellschaft, eine Frau Escher, erzählte, im Traum sei sie viel gereist. Tatsächlich war sie seit zwei Jahren nicht über den Zürichsee hinausgekommen, es war ja Krieg, die Grenzen geschlossen.

Vielleicht sei sie innerlich gereist, habe Neuland erkundet, interpretierte sie ihren Traum. Die Analytiker nahmen diese Erklärung mit größter Heiterkeit entgegen, sie sahen nur die verkappten sexuellen Wünsche der in einer langweiligen Ehe gefesselten Frau.

Aline wandte ein, sie halte die Deutung der Frau Escher für realistischer! Darauf Oczeret, aha, auch sie, Aline, lenke gerne ab, sei verstiegen und gouvernantenhaft, eben *eine aus Bern*!

Dieses *eine aus Bern* war schon oft gefallen, und auch diesmal widersprach Aline. Sie stamme nicht aus der Bundesstadt, ihre Vorfahren kämen aus Südfrankreich und der französischen Schweiz, aber Oczeret blieb dabei und tat, als hätte er eine dieser alten Tanten der Bürgerschaft vor sich. Aline stimmte schließlich in das Gelächter der Runde ein. Das Lachen des gut aussehenden jungen Analytikers, seine frische, unbekümmerte Sichtweise steckte an: *Das starke Blond dieser beiden Menschen wirkte, ihre zur Schau getragene Lebensbejahung tat oft Wunder. Alle Zimperlichkeiten, sowohl im geistigen wie vor allem im sexuellen Leben, wurden so fortgelacht.*

Beim anschließenden Tee kam das Gespräch auf Jung. Frau Oczeret ließ durchblicken, Jung sei nicht, wie allgemein angenommen, im Militärdienst, er habe sich mit seiner Sekretärin für Traumanalysen in einen Turm zurückgezogen!

Einige spotteten über Jungs Traumdeutung. Oczeret hielt die Theorien des Kollegen für verstiegen. Jung sei wohl selbst verklemmt, lerne hoffentlich aus der Zusammenarbeit mit seiner attraktiven Sekretärin!

Aline widersprach noch einmal, Jung werde noch mit seinen neuen Theorien Epoche machen, ja, das werde Herr Oczeret noch erleben! Darauf Oczeret mit mildem Spott: Ein wenig verstiegen sei auch sie, Aline Ducommun! Eben, eine aus Bern!

Eine möglichst schnelle Heirat, riet Oczeret. Ja, natürlich mit Rosenbaum!

Gerade weil er wegen seiner Mittellosigkeit nicht Wunschkandidat ihrer Familie sei, werde diese Verbindung ihr helfen, alte Fesseln abzustreifen und endlich zu sich selbst zu finden.

Sie war während ihrer Analysestunde allein mit Oczeret und blickte ihn groß an.

Ob sie denn diesen Mann nicht liebe?

Doch, sie liebe ihn.

Warum sie denn noch zögere?

Seine Formlosigkeit wirke auf sie bedrohlich.

«Ach», rief Oczeret aus, als habe er sie ertappt, «werden Sie in diesem Punkt bitte deutlicher!»

«Also … ich träume manchmal, Ro erscheine in Gesellschaft ohne Kleider! Oder er spucke vom Balkon aus Kirschsteine auf die Kirchgänger! Oder …»

Oczeret unterbrach sie mit einer Handbewegung. Sagte dann, sich ein Lächeln verkneifend: «Ist das denn nicht heilsam? Für eine aus Bern?»

«Erfrischend schon», gab sie lachend zu. Doch manchmal komme es ihr vor, Rosenbaum foutiere sich um alles Herkömmliche. Gehe schnurstracks auf sein Ziel los, das mache ihr Angst.

Allen Widerständen der Familie zum Trotz heiratete das Paar am 3. November 1917. Die Hochzeit des russischen Studenten mit der Bürgertochter aus Bern ging formlos über die Bühne, Marie Anne Stehlin und der Brautvater waren Trauzeugen, die Mutter strafte die Neuvermählten mit Abwesenheit.

6

Die junge Lehrerin hatte sich vor den Webstuhl gesetzt, die Sciora erklärte ihr die Handgriffe, und Federica, begierig sich die Kunst anzueignen, begriff schnell.

Die geistige Beweglichkeit der Leute im Onsernone war Aline Rosenbaum gleich aufgefallen. Jahrzehnte später, nachdem sie Max Frischs Buch *Der Mensch erscheint im Holozän* gelesen hatte, notierte sie: *Das Onsernonetal, das der Schriftsteller als wahres Jammertal darstellt (...), ist im Gegenteil eine helle und trockene Gegend des Tessins. Auch sind die Bewohner keine Kopfhänger, sie lieben Witz, sind rasch im Denken und Sprechen, wissen sich zu wehren und etwas zu erreichen.*

Als Federica und Luca sich verabschiedet hatten, setzte sich Aline eine Weile an den Webstuhl. Sie betrachtete den Fisch mit seinen grünlichen Schuppen, er schwamm hoch über der Rinne des Flusses, zwischen Bergspitzen im Himmelskanal. Als sei er in der Strömung der Luft in seinem Element. Noch war ein Stück des Himmels nicht fertig gewoben, sie zog aus einer Zigarrenkiste einen grauen Wollfaden für die bedrohlichen Wolken am oberen Bildrand.

Trotz ihrer schwedischen Lehrmeisterin hatte sie am Webstuhl doch am meisten von Sophie Taeuber gelernt. Oder war es Hans Arp gewesen, der ihr beigebracht hatte, wie man Wirklichkeit vereinfacht, bis sie Hintergründiges durchscheinen lässt?

Der Zweck der Kunst ist, die im Unterbewusstsein zu findenden Dinge ins Licht zu tragen. Es sind dies Findlinge im wahren Sinn des Wortes, hatte sich Aline notiert.

Sophie und Hans, Hans und Sophie.

Wen mochte Aline mehr? Im Grunde erlebte man die beiden, so verschieden sie waren, als Duo. In der Rückschau sah Aline sie wie spielende Kinder, die sich gegenseitig anspornen zu immer neuen Ideen, manchmal erschufen sie Gemeinsames: Duo-Collagen, Duo-Gefäße, Duo-Figuren.

Nur einmal hatte das Paar sie in der Abgeschiedenheit der Barca besucht. Es lebte nun in Frankreich, da Hans trotz der Trauung mit einer Schweizerin im Jahre 1923 die Niederlassung in Zürich verweigert worden war. Ein Mann, dessen Wohnungsmiete von einer Frau bezahlt wurde, war den Beamten der Limmatstadt wohl nicht ganz geheuer.

Sophie hatte in Meudon ein Haus gebaut, im Stil des Bauhauses, sie war rastlos tätig geblieben – als ahnte sie damals schon ihren frühen und tragischen Tod. Das Paar hatte, ganz im Sinne der Zeit, Kunst und Leben miteinander verbunden. Über Abgründe tanzend, so blieb es Aline in Erinnerung.

Nicht nur die Arps, ganz Zürich hatte damals, zur Zeit des Ersten Weltkriegs, den neuen Tänzen gefrönt.

Tanzend vergaß man eine Weile die Angst vor dem Krieg.

Tanzend schlug man der Geldknappheit ein Schnippchen.

Tanzend ließ man die am Zukunftshimmel drohende Wolke Wolke sein.

Schob den Onestep. Schlenkerte Charleston. Zog mit den Fußspitzen Vierecke über das Parkett beim Boston. Bog sich im neu aufgekommenen feurigen Tango.

Nach dem Tanzabend im Psychologischen Klub hatte man sich vorgenommen, öfters tanzen zu gehen, doch Rosenbaum büffelte für sein Anwaltspatent, und Sophie hatte ihre Schüler. So fanden sich Hans und Aline, die beiden Unnützen, wie sie sich im Scherz nannten, zusammen und gingen am Nachmittag tanzen.

Im vornehmsten Hotel der Stadt, im *Baur au Lac*, spielte eine amerikanische Band, und die beiden, die sparen mussten, saßen den ganzen Nachmittag bei einem einzigen Glas Tee und drehten sich zwischen den eleganten Hotelgästen. *Wir freuten uns kindlich. (...) Pure Lust am Rhythmus.*

Arp begleitete sie nach Hause. Als sie über die Limmatbrücke gingen, lehnte er sich übermütig über das Geländer, sah auf die auf dem Wasser tanzenden Lichter und rezitierte für Aline aus seinem *Pyramidenstock:*

Ich bin der große Derdiedas / das rigorose Regiment
Der Ozonstängel prima Qua / Der anonyme Einprozent.
Das P. P. Tit. und auch die Po
Posaune ohne Mund / Ich bin der lange Lebenslang
Der zwölfte Sinn im Eierstock ...

Arp war so wunderschön verrückt (...) im Alltag genauso wie in seinen Gedichten.

Sophie und Wladimir schienen ihren Partnern neidlos

das Vergnügen zu gönnen. Ja, Sophie schickte Aline nach dem Krieg sogar mit Hans nach Paris. Unsicher, ob er in Zürich auf die Dauer bleiben könne, und auch ein bisschen gelangweilt von der Limmatstadt, wollte er sich dort umblicken. Die vier verabredeten sich für eine gemeinsame Besichtigung, doch Sophie hatte noch keine Ferien und Wladimir noch eine Prüfung vor sich.

«Am besten, ihr fahrt beide voraus», sagte Sophie ganz selbstverständlich. Was die Zuhausegebliebenen inzwischen trieben, allein oder miteinander? Darüber wurde um sieben Gerüchteecken herumspekuliert.

In Paris angekommen, besuchten sie Max Ernst, der im Montmartre-Quartier mit einer Schwarzen zusammenwohnte, und stiegen dann in einem kleinen Hotel beim Jardin du Luxembourg ab.

Aline legte Wert darauf, zu erzählen, dass Hans sein Zimmer im ersten Stock hatte und sie ihres im vierten. Die Concierge schien sich darüber zu wundern und sagte eines Morgens zu Aline, die im Flur auf Arp wartete: «Ihr Monsieur le frère ist schon spazieren gegangen.»

So ist anzunehmen, dass Hans Arp für Aline «Monsieur le frère» blieb. Obwohl zu jenem Zeitpunkt noch ohne Trauschein, gehörte er doch unmissverständlich zu Sophie.

Auf der Mauer der Barca, in den schon schrägen Strahlen der Sonne, sah Luca den Chinesen auf und ab gehen. Vom Gegenlicht geschwärzt, schien er auf einem Seil zu wandeln. Die Füße unter dem langen Gewand setzten vorsichtige Schritte. Luca meinte, er könne den steifen, von Goldfäden durchzogenen Saum rascheln hören.

«Die Sciora hält sich den Chinesen wie einen bunten Vogel.» Violetta hatte es im Dorf gesagt. Darauf die Frau des Posthalters: «Ach, in China hält sich jeder Vögel, und sonntags gehen die Leute mit dem Käfig in der Hand im Park spazieren!»

Sie hatte sich, wenn auch nur auf postalischem Weg, einige Kenntnisse von der Welt angeeignet.

Unfrei oder frei, überlegte Luca. Jedenfalls wirkt er rastlos, der Chinese, irgendetwas scheint ihn auf der Mauer hin und her zu ziehen.

Später, von seinem Baum aus, sah Luca die Sciora auf die Turmterrasse treten, ihr Ausdruck erschien ihm angespannt und bekümmert, als bemerke sie Unregelmäßigkeiten, die das Schiff von seinem normalen Kurs abweichen ließen. Er dachte: Wer weiß, wer heute noch zum Wochenende in Comologno ankommen wird, aus Zürich oder Basel, Paris oder Mailand?

Aline, hoch oben auf ihrem Ausguck, hätte etwas dafür gegeben, Wladimir wieder einmal allein zu sehen. Er erschien in Comologno meist mit Anhang: Kunden, Künstlern, in jüngster Zeit immer häufiger auch mit Emigranten.

«Stell dir vor», hatte er letzte Woche am Telefon gesagt, «sie warten schon morgens, bevor noch aufgeschlossen wird, vor dem Tor.»

Sie sitzen auf den Bänken im Flur der Antwaltspraxis und erwarten Hilfe. Die Flüchtlinge des Ersten Weltkriegs seien ihm anders vorgekommen, hatte Rosenbaum bemerkt. Die hätten zwar auch gelitten, aber doch Hoff-

nung gehabt, viele hätten damals im Asyl Ideen für eine
bessere Zukunft entwickelt. Die neuen Emigranten, die
vor dem Faschismus flohen, trügen das blanke Entsetzen
im Gesicht: Das Schlimmste komme erst noch, prophe-
zeiten sie.

Gehetzt, resigniert, auf der Flucht vor der Sintflut, ist
Zürich der Anlaufort. Man reicht sich die einschlägigen
Adressen weiter.
Viele finden die Stadelhoferstraße, versuchen es beim
jüdischen Anwalt Rosenbaum. Es hat sich herumgespro-
chen, dass er jedem Bittsteller zwanzig Franken über-
reicht, ein Startkapital, für das sich das Warten auf der
Bank lohnt, kostet doch die Halbpension in einem
Mittelklasshotel sieben Franken.

Mit einem Lächeln erinnert sich Aline an die Ängste, die
ihre Mutter vor der Hochzeit plagten: «Dieser Rosenbaum,
was kann dir dieser mittellose Student schon bieten?»
Nicht einmal Aline war damals bewusst gewesen, dass sie
einen Magier heiratete, dem von einem gewissen Zeitpunkt an alles gelingen, dem Geld und Verehrung zuflie-
gen würden.
Das war nicht von Anfang an so gewesen. Die ersten Jahre
der Ehe waren mager. Rosenbaum hatte nach Bern an
die Hochschule zurückkehren müssen. Erst nach dem
Abschluss des Studiums, im Sommer 1918, konnte er
nach Zürich zu seiner Ehefrau ziehen.
In der kleinen gemeinsamen Wohnung an der Platten-
straße dann der Unfall mit dem heißen Rhabarberkom-
pott: Die Schüssel zersprang, das Glas durchschnitt eine

Sehne, Alines Daumen blieb fortan steif. Das bedeutete das Ende ihrer Karriere als Pianistin.

Zum Glück hatte Oczeret sie damals gebeten, in seiner Praxis mitzuhelfen, er schätze ihren eigenwilligen Blick, ihr Gespür. Sie hatte Vorgespräche mit seinen Analysanden zu führen, Briefe zu beantworten – ein Blick in die menschliche Psyche, der ihr neue Horizonte eröffnete. Jahrzehnte später, im reifen Alter, würde sie sich noch zur Therapeutin ausbilden lassen und in Ascona praktizieren.

Als Wladimir eine Anstellung beim Städtischen Lebensmittelamt bekam, glaubten sie sich endlich frei von materiellen Sorgen und bezogen eine großzügige Fünfzimmerwohnung an der Sonnhaldenstraße 5. Doch Rosenbaum wurde kurz darauf bei einem Immobilienkauf hereingelegt. Um für die Zinsen aufzukommen, mussten sie untervermieten, dem jungen Paar blieben nur die verglaste Veranda und die Küche.

Die Abende jener Zeit hatten einen besonderen Reiz: Ro büffelte für sein Anwaltspatent, sie erledigte am Küchentisch die Korrespondenz für Oczerets Büro, dann stopfte sie wie eine Arbeiterfrau Ros Socken.

Später werden diese gemeinsamen Abende selten. Wladimir verbringt viele Stunden im Café. Beklagt sie sich darüber, rührt sich sein Widerspruchsgeist und er bleibt extra lange fort. Sie setzt sich damit schreibend in ihrem Tagebuch auseinander, entwirft, aus subjektivem Empfinden heraus, ein Portrait Rosenbaums:

Mein Mann ist aus Russland, stammt von jenen Juden ab, die ursprünglich nicht Juden, sondern asiatisches Nomadenvolk waren, das sich statt zum Christentum zum Judentum bekehrte.

Er ist überall fremd hier. Wer ihn liebt, kennt ihn nicht, und wer ihn hasst, kennt ihn auch nicht.
Ich kenne ihn kaum.
Er ist gegen rechts und gegen links, gegen oben und unten. Er hat einen wilden Hohn in sich und pfeift auf alles. Wenn er sich mit einer Stecknadel sorgsam und umständlich die Zähne putzt oder mit dem Taschenmesser schwungvoll die Fingernägel schneidet, so tut er das nicht, weil er nicht wüsste, dass dies verpönt ist, sondern eben, weil es verpönt ist. Man weiß nicht, was er denkt, wenn er zu schlafen scheint, ist er am wachsten.

Ro ist spät aus dem Café gekommen, glaubt sie schlafend, streckt sich aus auf seinem Teil des Ehebetts. Sie hört seinen Atem, betrachtet nach einer Weile sein vom Schlaf umfangenes Gesicht. Seine Züge sind gelöst, diese lang gezogenen, immer etwas flattrigen Augenlider dürfen ruhen. Ängste befallen sie. Vorahnungen.
Manchmal nimmt diese Sorge die Form eines Wachtraums an, sie sieht einen schweren, schlafenden Vogel, den sie auf beiden erhobenen Händen emportragen muss bis über eine gewisse dunkle Linie hinaus: *Das war anstrengend, mühsam. Aber bevor es getan, konnte ich nicht schlafen.*
Die Ängste, die auch Rosenbaum manchmal heimsuchen, betreffen sein Judentum. Als Kind hat er die Pogrome in Russland miterlebt, als Jugendlicher auch in Schweizer Internaten Ausgrenzung gespürt, nach seiner Heirat verrät ein dramatisches Ereignis die Tiefe seiner Verletzung.

Das Paar Rosenbaum an einem Presseball im *Baur au Lac.*

Sie tanzen, da bricht Wladimir plötzlich in Schweiß aus, Panik ergreift ihn, er zittert. Sie setzen sich. Aline will wissen, was los ist.

«Chérie», sagt er, «ich weiß, es ist verrückt – aber ich habe plötzlich geglaubt, du genierst dich, mit einem Juden zu tanzen.»

Tief erschrocken reißt sie ihn an sich, nimmt ihn, so groß und schwer er ist, wie ein Kind auf den Schoß. Bedeckt sein Gesicht mit Küssen. Es ist ihr egal, dass die Menschen von den umliegenden Tischen herüberstarren und zu tuscheln beginnen, es gibt in diesem Moment nur sie beide: Die elegante junge Frau mit ihrem geliebten Mann, dem Juden. Sein Krampf löst sich.

Mit Augen, die eben noch voller Angst waren, blitzt sie ihn schelmisch an: «Und nun, Wolodja, tanzen wir!»

Sie tanzen ununterbrochen bis in den Morgen.

Das war eine anstrengende, aber heilsame Rosskur!, wird Rosenbaum später schreiben. *Es war eine Not, wie bei einem Amok-Läufer: Plötzlich, mit Vernunft, mit Logik, mit nichts zu erklären, plötzlich von dieser Panik überfallen.*

Wie Aline begann auch Wladimir Rosenbaum eine Analyse bei Oczeret, die Gesprächsrunde besuchten sie nun gemeinsam.

Man saß auf unbequemen Stühlen, Licht flutete durch die Fenster, Mücken tanzten im Vorgarten.

Sie hatten eben in der Runde einen Abschnitt aus einem Ibsen-Stück gelesen. Oczeret hörte sich die Kommentare aus der Gruppe an. Sagte dann, zur Befreiung der Gefühle gelte es, das Korsett der konventionellen Ehe zu sprengen. Bei einigen in der Runde fiel das auf fruchtbaren

Boden. Alines Ehemann schwieg dazu, und der Analytiker erforschte sein Gesicht, auf dem ein nachdenkliches Lächeln wie ein Fragezeichen stand.

Rosenbaum müsse, um seine Gefühle zu befreien, sich mit einer von Alines Freundinnen im Bett treffen, sagte Oczeret. Rosenbaum schien diese Aufmunterung nicht ungelegen zu kommen. Doch Aline protestierte:

Ich litt darunter, dass meinem Mann nahe gelegt wurde, er möge sich mit meiner besten Freundin im Bett treffen, was er auch tat. Oczeret meinte dazu, ich sei in alten Mustern befangen, geprägt durch meine großbürgerliche Herkunft. Eine Frau habe ihrem Partner diese Entwicklungsmöglichkeit zu gewähren, sei doch ein Seitensprung ohne Bedeutung für ihre eigenen Gefühle und für die Qualität ihrer Ehe, das sei der neue Lebensstil und der einzige, der ein volles Dasein garantiere, beschrieb sie die Sitzung in ihrem Tagebuch.

Sie saß mit rotem Kopf, einige aus der Gruppe betrachteten sie hämisch. Oben in der Runde Frau Oczeret, die Nachmittagssonne schien in ihr blondes aufgestecktes Haar, ein Heiligenschein über einem immer lächelnden, ein bisschen schwammigen Gesicht.

«Machen Sie doch selbst Ihre Erfahrungen!», riet die Oczeret.

Dazu spüre sie jetzt gar kein Bedürfnis, sagte Aline mit unterdrücktem Zorn.

Sie sei doch in anderen Belangen aufgeschlossen, sprach ihr Oczeret zu, kenne er sie und ihren Mann nicht als Liebhaber moderner Kunst, erst neulich habe er in ihrer Wohnung eine abstrakte Holzkomposition von Hans Arp bewundert: *Die Moderne vollzieht sich nicht nur in der Kunst, sondern auch in den Betten.*

Um ihnen beim Sprung in die Moderne zu helfen, nahm sich Oczeret einige weibliche Analysandinnen, die weniger schnell begriffen als die Männer, zu Geliebten, schließlich versorgte er ja auch ihre Freunde und Ehemänner.

Eines Abends hatte Aline in der Praxis des Psychiaters noch einen Brief geschrieben, da trat der Meister hinter sie. Flüsterte ihr ins Ohr: «Nun wollen wir sehen, ob du eine richtige Frau bist!»

Er zog sie hoch und versuchte sie zur Couch zu drängen, doch Aline sperrte sich.

«Was ist mit dir?», fragte er schroff.

«Ich kann nicht», sagte sie nur. Dass er ihr nicht gefiel, wagte sie nicht zu sagen.

Er lachte enttäuscht, brachte seine Kleidung in Ordnung. Dann holte er aus dem Nebenzimmer eine große Erdbeere und schob sie ihr in den Mund. Weitere Versuche, so berichtet Aline, habe er unterlassen.

Vier Jahre darnach wird Rosenbaum in seiner Praxis von einer Dame aufgesucht, die klagt, nach dem Beischlaf mit Oczeret sei sie an Gonorrhöe erkrankt. Sie habe ihren Mann angesteckt und wisse von anderen Patientinnen, die ebenfalls von ihrem Analytiker infiziert worden seien. Der Jurist lässt Oczeret noch an gleichen Abend kommen, fordert ihn auf, innerhalb von vierundzwanzig Stunden mit seiner Frau die Schweiz zu verlassen. *Oczeret brach zusammen, hatte kapiert, was er angestellt hatte.*

Aline hatte die Vorwürfe aus der Runde des Psychologischen Klubs nicht vergessen, Zweifel nagten an ihr: Fehlte ihr die Begabung für Erotik und Sexualität?

Kurz darauf, als sie mit Rosenbaum einen Studentenball besuchte, verfolgte sie ein junger Grieche über die Schulter seiner Tänzerin hinweg mit den Augen.

Später tanzte sie mit ihm. *Ich stand in Flammen. Wir verabredeten uns auf den nächsten Nachmittag. Er kam, legte mich auf den Boden und ohne Umschweife war es getan. Ich war mehr verwundert als entzückt, er wahrscheinlich enttäuscht.*

In der Analysestunde berichtete sie Oczeret nicht ohne Stolz, was geschehen war. Er musterte sie. Dann sagte er bestimmt: «Das hättest du eigentlich mir geben sollen.»

Ihm gefiel es nicht, wenn sich etwas seiner Machtsphäre entzog.

7

Von 1923 an erlebte Wladimir Rosenbaum einen kometenhaften Aufstieg. Er war inzwischen selbständiger Rechtsanwalt, spezialisiert auf Strafprozesse, die er ausnahmslos gewann. Schon im Mai desselben Jahres bezogen die Rosenbaums Praxisräume und Wohnung im vornehmen Baumwollhof an der Stadelhoferstraße. Bald konnte die Kanzlei vergrößert werden: Sekretärinnen, ein Lehrmädchen, ein Substitut.

1926 erwarb Rosenbaum den Baumwollhof, ein Haus aus dem achtzehnten Jahrhundert, mit Nebengebäuden, Hof und einem Atelier, in dem der Maler Ferdinand Hodler gearbeitet hatte.

Eine *breite Lebensführung* begann.

War Aline der Aufstieg zu schnell gegangen?

Da gab es eine junge Frau, die es genoss, Zeit und Geld zu haben für die Schneiderin, die Hutmacherin, den Friseur, auch nahm ein kleiner Stab von Hilfspersonal ihr die Alltagsarbeit ab. Gäste kamen, es wurde zu glanzvollen Abendessen geladen, zu Tanzabenden, als Krönung der so genannte *jour fixe* mit Konzerten, Lesungen, Vorträgen.

Die elegante und kluge Frau des Rechtsanwalts im Mittelpunkt. In seiner Autobiographie erinnert sich Elias Canetti an einen der Literatur-Abende in Zürich:

Der eigentliche Star des Abends war aber doch die Dame des Hauses selbst. Man wusste von ihrer Freundschaft mit Joyce und mit Jung. Es gab kaum einen angesehenen Dichter, Maler oder Komponisten, der nicht in ihrem Hause verkehrte. Sie war klug, man konnte mit ihr sprechen, sie verstand etwas von dem, was solche Männer zu ihr sagten, sie konnte ohne Anmaßung mit ihnen diskutieren. Sie war erfahren in Träumen, etwas, was sie mit Jung verband, aber es hieß, dass sogar Joyce ihr Träume von sich erzählte.

Rosenbaum hätte gerne Kinder gehabt, von vier Kindern hatte er einmal gesprochen, aber Aline wurde nie schwanger, und keiner der Gynäkologen, die sie aufsuchte, konnte die Ursache dafür finden. Rosenbaum stürzte sich umso mehr in die Arbeit, Aline füllte den Leerraum mit Musik, Beziehungen, Gespenstern.

Sie sitzt abends allein, ohne Licht anzumachen, auf dem monumentalen weißen Diwan an der Rückwand des Salons. Von hier aus kann der Blick frei durch den Wohnraum schweifen und durch die Flügeltür bis ins mit Nussbaumholz getäferte Esszimmer. Die wenigen Polstermöbel, in weißem Samt gehalten, an die Wände gerückt, der Salon beinahe leer, nur der rote Beschirteppich erfüllt das Zimmer mit seinem Feuer.

Sie entspannt sich vom Tag, sitzt im Halbdunkel. Lichtbahnen, vom Schein der Straßenlaternen in den Raum geworfen, ziehen bewegliche Muster.

In der linken Ecke des Salons, auf einem Piedestal, das Lieblingsstück des Hausherrn: eine antike, bronzene Katzenplastik aus Ägypten.

Ein sitzendes Tier von einem halben Meter Höhe, steif und mysteriös.

Der Hausherr erzählt an Herrenabenden in der *Kronen-halle* gerne von seiner Leidenschaft für dieses Stück: Er habe die Plastik in Paris in der Wohnung eines Rechts-anwalts gesehen. Habe sie unbedingt erwerben wollen. Das wertvolle Stück, während der napoleonischen Feld-züge aus Ägypten nach Frankreich gekommen, gehöre nicht ihm, habe der Anwalt gesagt, er habe es nur in Kommission. Die Besitzerin, Witwe des französischen Finanzministers Bouvier, einst eine berühmte Kurtisane, sei durch ungedeckte Blankoschecks um ihr Vermögen gekommen.

Er wolle aber die Katze der Madame Bouvier kaufen, habe Rosenbaum insistiert.

«Die Katze der Madame Bouvier ist nicht zu verkaufen!», habe der Anwalt mit anzüglichem Lachen gesagt. Da erst sei ihm bewusst geworden, dass das Wort *chat*, Katze, auf Französisch auch Schamdreieck bedeutet. Für einen gera-dezu Schwindel erregenden Betrag, fünfzigtausend Francs, habe er dann das königliche Tier doch noch erwerben können und die Katze in Paris persönlich abgeholt.

«Ja», pflegte Rosenbaum am Ende seines Berichts zu sagen, «es geht ein Gerücht, die Katze, Abbildung der Göttin Bastet, bringe dem Besitzer Unglück, man denke an die ungedeckten Schecks der Bouvier ...»

Dass die Katze auch ihm, Rosenbaum, Unglück gebracht hat, wird er einige Jahre später, nach seinem Absturz von 1938, beifügen müssen, nachdem er Vermögen wie Anwaltspatent verloren und *nichts mehr hatte als die Katze. Mit einer atemlosen Anstrengung habe er sich losgerissen von diesem Vieh und sei frei geworden von dieser Obsession.*

Auch den nächsten Käufer, Rosenbaums damaligen Anwalt Eugen Curti, einen besonnenen, intelligenten Mann, traf das Unglück: Er ließ sich überreden, Blankoschecks zu unterschreiben. Das habe ihn Vermögen und bürgerliche Ehre gekostet, ja, zuletzt sei er für unmündig erklärt worden …

Aline, auf ihrem Diwan, führt Zwiegespräch mit Königin Bastet: Ich lebe, aber ist es überhaupt mein, ist es nicht vielmehr Wolodjas glänzendes Leben? Ich übergehe, was mich traurig macht, schiebe von mir weg, was Konflikt erzeugt. So etwas tut man nicht ungestraft, gestern wurde ich gewarnt, noch sitzt mir der Schreck in den Knochen. An meinem Bett steht plötzlich ein Mönch, mongolisches Gesicht, struppiges Haar, Mönchskittel. Augen, die von innen leuchten.

Später würde sie der Erscheinung den Namen geben: *der Du* oder *der Asket.*
Er sprach zu mir: Ich bin du.
Ich war zu Tode erschrocken: Nein, ich bin ich.
Er sagte nochmals: Ich bin du.
Und ich protestierte wieder heftig: Nein, ich liege hier im Bett.
Er darauf: Du irrst dich. Ich bin du, und im Bett liegt eine Katze.
Erschrocken greift sie unter ihr Leintuch, fühlt ihre weiche Haut an der Brust, und die Einsicht durchfährt sie wie ein Blitz: Der Mönch hat Recht. Ich bin eine Katze.

Nach diesem Vorfall hört sie die ganze Nacht hindurch ihr Herz wie wild schlagen, erst am Vormittag, nach einem Anruf bei Dr. Jung in Küsnacht lässt die Erregung nach; sie sitzt auf der Veranda, steckt das Haar auf, während in einem Hinterhof Hühner gackern, Kinder sich auf der Straße zanken.

Jung hat sie am Telefon beschwichtigt. Nein, sie sei nicht verrückt. Auch in seinem Leben habe es eine Phase gegeben, wo sich Gesichter, Halluzinationen eingestellt hätten, sein Unbewusstes, den Weltkrieg vorausahnend, habe verrückt gespielt.

Er habe 1913 eine ungeheure Flut gesehen, die alle Länder zwischen der Nordsee und den Alpen bedeckte. Die Schweizer Berge seien gewachsen, wie um das Land zu schützen, das Meer sei zu Blut geworden. Das Gesicht, das etwa eine Stunde währte, habe sich wiederholt, und im Frühjahr 1914 habe er eine arktische Kälte hereinbrechen sehen.

Die Inhalte des Unbewussten hätten ihn damals verstört. Noch 1916 sei die Atmosphäre im Haus an der Seestraße in Küsnacht wie aufgeladen gewesen, als sei die Luft erfüllt von gespenstischen Entitäten. Selbst seine Töchter hätten weiße Gestalten herumwandeln sehen. Die Hausglocke habe von selbst geläutet. Damals habe er seine Reden an die Toten, die *Septem Sermones ad Mortuos* geschrieben. Darauf habe der Spuk ein Ende genommen.

Aufschreiben müsse auch sie alles.

Er verreise, erwarte aber nach der Rückkehr ihren Besuch.

Nun, in der Dämmerung sitzend, nimmt sie sich vor, von neuem Tagebuch zu führen, schon will sie aufstehen, um nach einem Heft zu suchen, da geht plötzlich im Esszimmer Licht an.

Ro tritt ein, an jedem Arm eine Dame.

Gedämpfte Stimmen, dann ein Ausruf des Entzückens, er gilt vermutlich der Einrichtung, den von Aline mit der Stilsicherheit der Ducommun ausgesuchten Möbeln. Bilder und Porzellan werden begutachtet und taxiert. Wird etwas gelobt, nimmt es Ro von der Etagere und verschenkt es lachend: eine kleine Meißner Figur, eine Porzellanschale, deren Feinheit eben von der Dame zur Linken oder zur Rechten gerühmt worden ist.

Ro verschenkt alles mit Grandezza und Handkuss. Aline hört auf das überraschte, ein bisschen verlegene Kichern der Beschenkten. Sie gehören der feinen Gesellschaft an, wohnen in Villen am Zürichberg, und ihre Männer, Rosenbaums Klienten, trinken unterdessen in der *Kronenhalle* ein Bier. Was der Rechtsanwalt Rosenbaum hier macht, wirkt neu und erregend: Ein erfolgreicher, brillanter Mann, der Frauen liebt und der nicht wie die meisten reichen Schweizer auf seinem Geld sitzen bleibt. Aline auf ihrem Sofa nimmt teil am Theater, sieht einmal diesen, einmal jenen Frauenkopf im beleuchteten Ausschnitt der Flügeltür: topfartiger Hut, Haare, zum modischen Bubikopf geschnitten, Schmachtblick. Gepuderte Puppengesichter. Sie sehnen sich danach, wie die Frauen in Ibsens Stücken (man liest sie in Oczerets Gesprächsrunde) aus ihren goldenen Käfigen auszubrechen. Ro, ein Zauberer mit Witz und Charme: *Freundinnen konnte er haben, so viel er wollte.*

Doch Aline war zu diesem Zeitpunkt längst daran, im Gegenzug ihre eigenen erotischen Eroberungen zu machen.

8

Eine sinnliche Liebe: der Maler Walter Helbig.

Sie lernten sich 1920 kennen, die Rosenbaums verbrachten ihre ersten Ferien im Tessin. Ascona war den damals noch Mittellosen von ihrem polnischen Freund Bryks als preisgünstig empfohlen worden: Man treffe dort interessante Leute, vor allem Kunstschaffende. Sie fanden ein Zimmer bei der Frau von Hermann Hesse, sie lebte mit ihren drei Buben allein, der Dichter hatte die Familie eben verlassen.

Vom sonnigen Süden war in jenem Herbst wenig zu spüren, es regnete tagelang. Der See trat am Quai über die Ufer, von einem Hauseingang zum andern musste man Boote benutzen.

Als der Himmel sich endlich aufhellte, nahm Bryks die Freunde mit zu einem Fest im Garten der Helbigs. Der Maler, in Dresden aufgewachsen, arbeite teils in Ascona, teils in Küsnacht am Zürichsee. Rosenbaum war sofort von seinen Bildern eingenommen, die expressive Maltechnik, die sinnlichen, mystischen Farben empfand er als neu. Aline übertrug den zauberhaften Eindruck der Bilder auf den Maler selbst, ohne viele Worte herrschte zwischen ihnen von Anfang an Einverständnis.

Er war ein mittelgroßer Mann von weichen, ansprechenden Gesichtszügen, schweigsam und einfühlend. Seine

Frau, ein Stück größer als er und schwerer, eine Walküre, sprach viel und bemühte sich mit einem Aufwand von Getränken und Speisen um die Gäste.

Im Garten, den Helbig selbst bepflanzt hatte, verriet er Aline seine Vorliebe für blau blühende Blumen, zeigte Beete und Stauden, führte sie dann in einen entlegenen Teil, wo hinter grünen Mauern von Kirschlorbeer Hortensien blühten von einem seltenen, fast violetten Blau. Sie war voller Bewunderung. Auch sie liebe Pflanzen, wünsche sich so sehr einen Garten. Und diese unwahrscheinliche Blumenfarbe, ob er ihr den Trick verrate? Er lächelte. «Dem Boden ist Kupfer beizumischen, damit die Blüten nicht vorzeitig ins Rote kippen.» Sachte legte er seine Hand auf ihren bloßen Arm.

Da teilten sich die Sträucher, Helbigs walkürenhafte Frau brach sich durch die Zweige. Sie überreichte ihnen zwei Schirme, denn es beginne wieder zu regnen. Tatsächlich, die beiden Versunkenen hatten es nicht einmal bemerkt. Walter Helbig hatte die Hand von Alines Arm weggezogen, sie folgten der großen Frau unter ihren Schirmen auf die gedeckte Veranda zu Kaffee und Kuchen.

Sie hält alles unter Kontrolle, sagte später Bryks. Ihr Maler, ein Ästhet, entflammt sich leicht. Die Helbig ist eine tüchtige Frau, ohne sie würde er das praktische Leben kaum meistern, und was ihr an Erotik fehlt, ersetzt sie durch Finanzen! Schon während der Malakademie hat sie Helbig unterstützt.

Monate verstrichen, erst gegen Frühling machte Aline im Atelier in Küsnacht den im Herbst versprochenen Besuch. Der Maler bat sie, Modell zu stehen.

Während sie sich in seinem Atelier entkleidete, mischte er ohne aufzublicken die Farben.

Er arbeitete schweigend, in fliegender Hast. Skizzierte. Wischte wieder aus. Zeichnete neue Umrisse. Trug dann teils mit Pinsel, teils mit einem Spachtel Farbe auf.

Zeit steht ihnen wenig zur Verfügung, unten in der Wohnung deckt die Gattin schon den Teetisch.

Kein Wort fällt zwischen ihnen. Duftschwaden hängen im Raum, von ihrem Standort aus betrachtet Aline die blauen Hyazinthen, die Helbig hinter den Fenstern in dunklen Gläsern zieht.

Es reicht. Er wirft einen letzten prüfenden Blick auf sein Bild und murmelt: «Da muss immer noch ein Geheimnis bleiben.»

Sie beginnt sich anzuziehen, da steht er plötzlich neben ihr, umarmt sie mit großer Heftigkeit. Sie wehrt sich nicht, ihre Körper haben zu lange nacheinander verlangt, zwischen den Bildern auf den Staffeleien lieben sie sich wortlos.

Raum ist da wenig, und der Teetisch ist unten schon bereit, trotzdem fallen sie gemeinsam aus Raum und Zeit, finden erst im Wohnzimmer wieder in die Wirklichkeit. Unter den Augen der strengen Gattin leistet Aline heimlich Abbitte, doch der Mann, den man in Ascona als *molto inflammabile* bezeichnet hat, ist plötzlich ganz da, erzählt, scherzt, gießt persönlich den chinesischen Tee auf.

Selten genug sehen sie sich wieder.

Helbig, der Sinnenmensch, ein sanfter, leidenschaftlich Liebender. *Er war auf helle Weise zärtlich, in klarer Weise lei-*

denschaftlich bewegt, differenziert in seinem Wünschen. Im schmalsten ihrer Tagebücher verrät Aline, dass sie sich erstmals ganz den Sinnen öffnet, unter der Decke umkost sie das Glied des Geliebten und kommt sich dabei ein bisschen verrucht vor. Doch sie spürt, es sind keine Techniken, die den Glanz dieser Liebe ausmachen, sie bewegt etwas in ihrem Inneren, hat eine transformierende Kraft.

So hat der Morgen nach der Liebesnacht die Frische des ersten Schöpfungstags:

Der ganze Raum voller froher Tumultes. Leben! Leben! (…)
Wie wundervoll klar und rein die Morgenluft zum Fenster hereinströmt, wie köstlich mir diese Luft schmeckt! (…)
Die reine Atemerotik!
Ja, warum auch nicht? Atem ist Leben und Leben ist Erotik.
Wir sind viel zu wenig erotisch, wir verstehen nicht zu leben.

Martin Bubers Vorträge im Baumwollhof über Ehe und Treue sind ein Kontrastprogramm zum sexuellen Durcheinander, «dem Salat», wie man das im Zürich der zwanziger Jahre nannte. Die Rosenbaums hatten den 1878 in Wien geborenen jüdischen Religionsphilosophen durch Bryks Vermittlung bei den *Pelzmayers* in Zürich kennen gelernt, der Gelehrte saß Aline beim Abendessen gegenüber.

Sie war beeindruckt von seiner Art, Gedanken zu äußern und ihnen mit der Stimme, den ausdrucksvollen dunklen Augen Nachdruck zu verleihen. Die Rosenbaums wagten es, ihn für eine Vortragsreihe einzuladen. Der schon berühmte Buber sagte zu und wählte als Thema: *Der gemeinschaftliche Mensch.*

Man trommelte schnell gegen zwanzig Freunde zusammen, die bereit waren, zweimal in der Woche mit Buber zusammenzukommen, darunter Leute aus dem Psychologischen Klub und ehemalige Analysanden von Oczeret. Buber wohnte in dieser Zeit bei den Rosenbaums im Baumwollhof. Er sei ein bescheidener Gast gewesen, hält Aline fest. Nur etwas hatte sie ein bisschen gekränkt: Als sie sich nachmittags ans Klavier setzte und zu spielen begann, bat der Gast sie, aufzuhören, er finde das unerträglich! Und schließlich schulde man sich im zwischenmenschlichen Bereich schonungslose Offenheit!

Diese Ehrlichkeit forderte Buber in seinem ersten Vortrag auch zwischen den Ehepartnern.

Die Partner offenbaren einander das Du, das nicht Ich ist. Immer ist in einer Beziehung ein Drittes anwesend. Monogamie bedeute die höchste Intensität einer Verbindung. Monogamie in der Ehe überwinde den Vielheitsdrang des unreifen Menschen und seines Naturtriebes. Treue also als Weg und Ziel!

Für die ehemaligen Oczeret-Jünger klang das ungewohnt, beinahe exotisch. Interessiert hörte man zu, überdachte einiges, doch im Hinterkopf hatte man schon die Daten der Verabredungen mit den Zweit- und Drittbeziehungen.

Carl Gustav Jung, der unter den Zuhörern saß, brachte während der Diskussion Einwände gegen Bubers Treuebegriff vor, die Vorstellungen des Theologen und die des Tiefenpsychologen waren nicht in Einklang zubringen. Buber, der zu jener Zeit sein Buch *Ich und Du* zum Druck vorbereitete und wenig später in Frankfurt einen

Lehrstuhl erhielt, beeindruckte trotz seiner unbequemen Thesen. Die Freunde der Rosenbaums baten ihn, im Jahr darauf einen Sommerkurs in Ascona durchzuführen. Diesmal sollte Buber über Laotse sprechen.

Aline Rosenbaum fiel es zu, alles vorzubereiten. Sie reiste nach Ascona und fand den *Monte Verità*, den Berg der Wahrheit, höchst geeignet für Bubers Kurs. Die Holzhäuschen der Naturmenschen erschienen ihr zwar ein bisschen heruntergekommen, die vier neuen Besitzer aus Belgien hatten kein Geld für die Renovation. Also mietete Aline ein paar Zimmer im Hotel *Semiramis* dazu. Auf dem Gelände, das nur noch von wenigen besiedelt war, frönten einige Vegetarier ihren Sonnenbädern, andere arbeiteten, nur mit einem Lendenschurz bedeckt, auf dem Feld.

Buber traf am Vortag des Kurses ein, er wirkte blass und angeschlagen. Einer seiner Jünger brachte Aline schonend bei, der Meister habe einen Furunkel an der heikelsten Stelle und sei unfähig, zu sitzen, sein Arzt verlange, dass er das Bett hüte!

Unterdessen waren aber die Kursteilnehmer in Ascona eingetroffen. So versammelte man sich am nächsten Morgen um das Lager des Vortragenden. Halb aufgerichtet, den wallenden dunklen Philosophenbart auf dem Betttuch, sprach Buber über die chinesische Weisheit des Sowohl-als-auch.

Die Tage waren heiß, man hörte schwitzend zu, am Nachmittag eilte man hinunter zum See, nahm ein Bad, und einige verliebten sich heftig ineinander: *Es kam zu Tragödien, Ehepaare wollten auseinander gehen, Frauen weinten, kurzum, die viele Weisheit brachte viel Torheit zu Tage, was sicher richtig war,* schreibt Aline in einer Erinnerung.

Die Teilnehmer verlangten nach einer Wiederholung, und Buber war einverstanden, an Alines bevorzugtem Ferienort, in Poveromo an der ligurischen Küste, den nächsten Sommerkurs abzuhalten. Wieder reiste Aline Rosenbaum zur Vorbereitung voraus. Am Morgen des Tages, an dem Buber mit Frau und Tochter eintreffen sollte, wurde Aline im Meer von einem Fisch gestochen. Dieser Fisch war an der Küste gefürchtet, der Stich seiner drei Rückenstacheln konnte zu Lähmungen führen. Der Schmerz war unbeschreiblich. Aline wankte aus dem Wasser und fiel in den Sand. Junge Leute aus dem Dorf eilten herbei und sagten, es gäbe nur ein Mittel gegen die Krämpfe, nämlich große Mengen Rotwein zu trinken. Ein junger Bursche wurde ausgeschickt und kam zurück mit einem Fiasco, einer dickbauchigen, von Bast umspannten Weinflasche.

Glas um Glas wurde Aline eingeflößt.

Der Krampf ließ nach, Aline war nun ziemlich beschwipst, und da sie kaum gehen konnte, hievte man sie auf ein Fahrrad und schob sie unter Gelächter voran. Das letzte Stück Weg verlor sich im Strand. Der junge Bursche wollte die Verletzte tragen, sie hängte sich ihm um den Hals, versuchte hin und wieder ein paar Schritte. So gelangten sie torkelnd, lauthals lachend, zur Pension, wo soeben die Bubers aus der Kutsche stiegen. Die Neueingetroffenen betrachteten das Schauspiel indigniert. Aline wollte erklären, verfiel aber ins Lallen und musste auf ihr Zimmer gebracht werden.

Auch an den folgenden Tagen blieb das Verhältnis gestört, vor allem Frau Buber begegnete Aline mit eisiger Miene. Sie begann, die Organisation an sich zu reißen: *Sie gab den Ton an, und der war rau.*

Aline verletzte es, dass Buber, um seiner Frau nicht in die Quere zukommen, abfällig, ja unwahr über sie sprach. Vorzeitig brachen die Rosenbaums – auch Wladimir war inzwischen eingetroffen – den Aufenthalt ab.

Beim letzten Essen auf der Terrasse der Pension balgten sich Dorfhunde zu Füßen der Gäste. Aline, durch Jung geschult, sah darin eine Duplizität der Erscheinungen, die Hunde hätten es für die Anwesenden übernommen, die Gefühle der Gäste darzustellen. So endet ihr Bericht über dieses letzte Treffen mit Buber: *Von da an dachte ich unfreundlich an ihn, oder besser, ich hegte den Wunsch, ihm einmal seinen schön verhüllenden Bart abzurasieren, damit man sehe, wer er eigentlich ist.*

Aline bat Buber später um Entschuldigung: *Ich habe Ihres veränderten Wesens uns gegenüber mit Ihnen innerlich gehadert. Das durfte aber nach Ascona nicht geschehen. Ich hätte diese Veränderung aus Ihrer Situation heraus verstehen müssen, wie ich sie jetzt verstehe, und hätte sie ruhig ertragen sollen …*

Der Brief, geschrieben im Herbst 1924, wurde vermutlich nie abgeschickt.

9

Im Talausschnitt gegen Westen, wo Italien liegt, stauen sich Wolken.

Paolo Rossi blickt zum Himmel. An diesem Morgen erscheint er ihm über dem Onsernone perlmuttfarben, verletzlich. Auf der Mauer unterhalb der Kirche sitzend, sieht er Vögel aus dem Garten der Barca aufsteigen, er hört Lachen, Gesprächsfetzen in einer ihm fremden Sprache.

Am Vorabend sind neue Gäste angekommen. Doch die Mauer verbirgt das Leben in der Barca. Das Herrschaftshaus treibt über den Köpfen der Talbewohner, hat seinen eigenen Himmelsausschnitt. In Rossis Hosentasche liegt der Schlüssel zu Alines Garten, er befühlt ihn. Es scheint ihm sinnlos, in diesem karierten Schulheft, das geöffnet auf seinen Knien liegt, weiter von der Haft seines Bruders zu berichten. Er beginnt von einer anderen Gefangenschaft zu erzählen, die in Zürich ihren Anfang genommen hat: Paolo Rossi, Emigrant und Biologiestudent, unterrichtet die schöne Gattin des Rechtsanwalts.

Ein Zimmer mit seidenen Vorhängen, mit Büchern, Plastiken, Bildern.

Sie kommen nach der Italienischstunde ins Gespräch, seine Paradoxe über Menschen und Leben scheinen die schöne Schülerin zu reizen. Mit einer lustvollen Art,

Widerspruch zu zeigen, rüttelt sie an seinen Prinzipien. Fordert ihn auf, den Dingen auf den Grund zu gehen. Es stimmt, er kennt alles nur aus den Zeitschriften der Partei, aus Versammlungen, vom Hörensagen. Sie bemerkt seine Verunsicherung. Vergnügt wirft sie den Kopf in den Nacken, er beobachtet ihr Lachen, ihren biegsamen Hals, schreibt später: *Auch wie sie lacht – mit fast geschlossenen Augen und die zwei Reihen wundervoller Zähne, die wie ein blendender Blitz erregend aufleuchten – genügt, um einem den Verstand zu rauben.*

Nein, sie will seinen Verstand nicht missen. Deshalb die Wortfechtereien. Doch auf einmal kommt ihr Kopf ihm nahe, zu nahe, er spürt ihr Haar auf der Wange, und das große weiße Kanapee wird zum Schiff, mit dem sie vom Ufer abstoßen und fortgleiten. An einem Winternachmittag, das Tageslicht geht schon in Bläue über, zieht sie ihn über den Flur in ihr Zimmer, und er spürt im Halbdunkel ihren warmen, zur Liebe bereiten Körper.

Das nächste Mal, zur Zeit der Italienischstunde, sieht er einen Mann im Fauteuil sitzen. Rossi erschrickt. Bis jetzt hat er sein schlechtes Gewissen beschwichtigt: Sie ist unglücklich verheiratet, der erfolgreiche Anwalt kümmert sich nur um seine Kanzlei, sie ist allein. Er erschrickt noch einmal, als der Mann ihn spöttisch fragt: «Ah, Signor professore, wie geht es mit der Biologie?»

«Danke, sie macht mir Freude.»

«Bravo!», ruft der Anwalt hämisch, «die Biologie ist eine wunderbare Wissenschaft, die ausgezeichnet dem Zweck dient, Frauen Italienischstunden noch angenehmer zu gestalten!»

«Sie irren sich», wagt Rossi zu erwidern, «Biologie ist eine Sache, Italienischstunden eine weitere, Frauen wieder eine andere.»

«Sie haben Recht, es sind tatsächlich drei verschiedene Dinge! Aber wenn man ein wenig Begabung hat, fängt man mit der Italienischstunde an, dann würzt man die Stunden mit ein wenig Biologie, und so kommt man zu seiner − oder besser gesagt − zu meiner Frau! Gut gemacht, Signor professore!»

Rossi errötet verwirrt.

«Mach dir nichts draus», tröstet Aline ihn später, «das ist eben Rosenbaums Art, Spaß zu machen. Unsere Freundschaft ist mir wichtig, Paolo.»

Noch gab es nur wenige Autos im Tal, das Onsernone gilt als das unwegsamste der großen befahrbaren Tessintäler, voller Querrinnen und Wasserläufe, die Straße muss ausweichen und die Schründe in weit ausholenden Kehren umgehen.

Brücken spannen sich über die Abgründe, in der Dämmerung wirken sie zerbrechlich, wie aus Filigran.

Paolo Rossi hatte sich zu der kleinen Gruppe gesellt, welche die Wagen der Wochenend-Rückkehrer erwartete, die so genannte Samstagskarawane. Ihre Ankunft war jedes Mal eine kleine Sensation.

Sie standen am äußersten Ende des Dorfes bei einem Gebäude, das Stallungen und Garagen der Barca enthielt, dem Palazign. Ettorino, ein Zwergwüchsiger, hatte die schärfsten Augen, wie ein Hühnervogel nahm er Dinge aus der Ferne wahr. Auf der Höhe von Mosogno, zwischen den Zweigen der Bäume, hatte er ein Stückchen rotes Blech entdeckt, sah es aufblitzen im letzten Licht des Tages.

Man schloss Wetten ab, wer zuerst eintreffen würde: Rosenbaums Amerikaner? Der Bugatti des Herrn Degiorgi? Signor Degiorgi, Ettorinos Stiefvater und Chef der Präfektur in Locarno, machte oft mit Rosenbaum ein kleines privates Rennen, auf kurvigem Weg talaufwärts, eine Staubwolke hinter sich, den Papagei Lora auf der Schulter.

«Sie kommen!» Ettorinos spitzer Schrei.

Der Bugatti hatte gesiegt! Ettorino trippelte stolz über den Platz, um dem Stiefvater seine Miniaturhand zu reichen, Lora, der Papagei, saß immer noch auf der Schulter des waghalsigen Fahrers und schlug mit den gestutzten Flügeln. Inzwischen war auch Rosenbaum eingetroffen, wie immer sportlich, ein Gentleman in cremefarbenem Anzug und mit breitkrempigem Hut, er drückte dreimal auf die Hupe, um seine Ankunft im Palazzo zu melden. Ein weiterer Mann war ausgestiegen, in dem für Künstler typischen Manchesteranzug, daneben eine mondäne junge Frau. Noch stand die hintere Wagentür offen, noch glaubte man, niemanden mehr im Inneren zu sehen, da schob sich, wie von Geisterhänden gehoben, eine Schreibmaschine heraus! Kurze Beine schnellten nach, ein gedrungener Oberkörper, ein rundlicher Kopf.

«Ist das der Schriftsteller?», tuschelte Luca neben Paolo.

«Ja, das ist er, Kurt Tucholsky.»

«Berühmt?»

«Berühmt und berüchtigt. Seine Texte sind angriffig, er hat eine freche Schnauze. So möchte auch ich gegen die Faschisten schreiben können, Luca.»

Da stand also der berühmte Tucholsky in seinem feierlichen dunklen Anzug, mit seinen kurzen Beinen begann er vorsichtig den bekiesten Platz zu überqueren, die Maschine stemmte er weit mit den Armen vom Leib weg, als halte er sie für explosiv. Jetzt war er an der Treppe angelangt, langsam nahm er Stufe für Stufe. Luca sah ihm atemlos zu. Dieser Mann, überlegte er, tarnt seine Gefährlichkeit, der zur Fülle neigende Körper täuscht Harmlosigkeit vor. Doch seine Schreibmaschine, das lässt sich nicht verbergen, ist ein gefährliches Instrument. Zwischen den sprungbereiten kleinen Hämmerchen sah Luca für einen Augenblick Flammen züngeln.

Der Hausdiener hatte inzwischen auf dem Auto die beiden Schrankkoffer des Herrn Tucholsky entdeckt, gewichtiger als alles, was bis anhin in die Barca hinauftransportiert worden war. Die schaffe ich nicht, der ältliche Diener sagte es mit einem Achselzucken, und der Padrone bot sofort vier junge Männer auf, die immer noch vor dem Palazign warteten.

Die sargähnlichen Möbelstücke auf den Schultern, gehen zwei und zwei langsam die Treppen zur Barca hinauf, die Kanten und Schlösser aus Messing schimmern. Schatzkisten, denkt Luca, sie regen seine Phantasie mächtig an, er sieht Herrn Tucholsky zwischen Wolkenkratzern in mondänen Hotels, die Kofferetiketten erzählen von Schwindel erregenden Destinationen.

Die Hausherrin unter der Tür erschrickt, ordnet an, man möge das Gepäck des Herrn Tucholsky hinauftragen in den zweiten Stock, ja, in den blauen Salon, ihr bestes Gästezimmer, mit einem eigenen Waschkämmerchen. Paolo

Rossi, einer der Träger, wird dafür sorgen, dass sie das richtige Zimmer finden, Aline dankt es ihm mit einem Blick.

Eigentlich hatte sie Tucholsky nicht vor Ende des Monats erwartet, der Arzt in Zürich hatte dem Schriftsteller zu einer Nachkur im Gebirge geraten.

Nun war er verfrüht und mit zwei riesigen Überseekoffern eingetroffen, als wolle er sich mindestens für ein halbes Jahr hier einrichten, eine Vorstellung, die selbst die sonst so großzügige Gastgeberin etwas verwirrte.

Sie eilte zu Maria in die Küche, kündigte an, der neue Gast werde für die Küche einige Komplikationen bedeuten, Herr Tucholsky sei Feinschmecker! Gewohnt, gut, viel und teuer zu essen!

Gut, viel und teuer – Maria wiederholte es ehrfürchtig. «Ach, Signora», sagte sie, entschlossen, die Herausforderung anzunehmen, «das Kaninchen heute Abend könnte raffinierter zubereitet werden, alla cacciatora mit kleinem Gemüse, oder als Ragout mit Rotwein, oder zieht Herr Tucholsky es mit Rosmarin gebraten vor? Und zum Nachtisch reichen wir Fruchtsalat mit einer Bavaroise …»

«Aber Herr Tucholsky darf nicht zunehmen», entgegnete Aline mit einem Seufzer, «er kommt von einer Abmagerungskur!»

Trotzdem überschlug auch sie rasch den Bestand der Vorräte. Für das Wochenende war vorgesorgt, aber am Montag musste tüchtig eingekauft werden, alles vom Besten, was im Dorf nicht greifbar war, musste eben in Locarno bestellt werden.

Manchmal hatte sie bis zu zwölf Gäste am Tisch, die Barca war mehr und mehr zur Arche geworden.

Doch Zürich war die erste Anlaufstelle der Exilierten. An der Stadelhoferstraße konnte Aline von ihrem Zimmer im ersten Stock auf die Bittsteller am Tor hinuntersehen, grau und gehetzt erschienen sie ihr, anonym, gesichtslos. Später, auf den Wartebänken der Anwaltskanzlei, saß jeder für sich allein, den Blick der anderen Wartenden meidend, den Mantelkragen wie Scheuklappen hochgestellt. In gewissen Gegenden Europas herrscht arktische Kälte, sagte Rosenbaum. Emigranten, die ihm empfohlen worden waren, nahm er zur Mittagszeit mit nach oben. Im Esszimmer, am immer reich gedeckten Tisch, wurden Gespräche und Beratungen fortgesetzt.

Dr. Katzenstein, ein bekannter Neurologe, der in Zürich viele Emigranten kostenlos beriet, hatte ihm den Schriftsteller Kurt Tucholsky geschickt. Der damals schon bekannte Autor hatte zuerst an einem der *jour fixe* teilgenommen, nun war er zum Nachtessen erschienen: ein elegant gekleideter Mann von kleinem, gedrungenem Wuchs. Aline Rosenbaum geriet sofort in den Sog seiner Erzählkunst.
Er sei schon einige Wochen in Zürich, das Emigrantendasein öde ihn an, Dr. Katzenstein halte es für höchste Zeit, dass er die anregende Bekanntschaft der Rosenbaums mache! Am Tisch, wo er tüchtig zulangte, beklagte er sich, er fühle sich appetitlos und krank, die Geschmacksnerven seien ihm abgestorben, auch wachse ihm zwischen beiden Augen ein Hühnerauge nach innen und drücke auf die Hypophyse …
Die Gastgeberin, unsicher, ob sie das für einen Scherz halten sollte, fragte: «Nochmals vom Braten?»

Der Diener hielt Tucholsky die Platte hin, und der Gast, immer weitersprechend, langte zum dritten Mal zu. Als man zum Kaffee in den Salon wechselte, klagte er, Dr. Katzenstein verlange, dass er abspecke. Der Arzt empfehle eine Diätkur in Bad Tarasp, einem entlegenen Ort, ohne Wagen eine kleine Weltreise.

«Ach, meine Frau wird sie gerne in ihrem Ford hinfahren», sagte Rosenbaum, «sie ist eine ausgezeichnete Automobilistin.» Tucholsky nahm es erfreut zur Kenntnis. Er begann nun, auf eine höchst unterhaltsame Art sein Herz auszuschütten, die Öde des Lebens in der Emigration, das langweilige Zürich. Aline amüsierte sich über seine Beobachtungsgabe und seine witzige Art, über Personen und Einrichtungen zu lästern. Als dem Gast der Stoff nicht auszugehen schien, entschuldigte sich der Hausherr, es sei leider noch Dringendes im Büro zu erledigen, seine Frau unterhalte sich jedoch gerne mit ihm, ob er ihm noch ein Glas vom Whisky nachschenken dürfe?

Tucholsky nahm nun Platz auf dem gigantischen, mit Schaffell belegten weißen Diwan, aus der Tiefe des Möbels floss sein Redestrom weiter. Die Furcht, auch die Dame des Hauses werde gleich aufstehen und sich zurückziehen, veranlasste ihn zu immer brillanteren Formulierungen, sein Redefluss beschleunigte sich, er bewegte beim Sprechen die Hände, unterstrich Ausgesprochenes und Unausgesprochenes mit der Mimik seiner dunklen Augen. Kulleraugen mit Plüschblick, dachte Aline. Manchmal drohte er in Sentimentalitäten abzusacken, doch im nächsten Atemzug überdeckte er alles mit einer beißenden Bemerkung.

Er sprach und sprach. Rutschte immer tiefer in das Sofa hinein. Über den Augenbrauen hatte sich Schweiß gesammelt, eine dunkle Haarlocke fiel ihm in die Stirn. Aline Rosenbaum, sensibel genug, die Verzweiflung unter der Flut der Worte zu spüren, hörte geduldig zu.

Es schlug Mitternacht.

«Zeit zu schlafen!» Sie erhob sich. Tucholsky, wie von Panik ergriffen, packte ihren Arm, bat sie inständig, doch noch zu bleiben. Kurz nur. Er brauche ihren Rat.

Sein Freund Ossietzky, Chefredaktor der *Weltbühne*, sei in Deutschland verhaftet worden, unter seiner Leitung habe er, Tucholsky, kritische Artikel verfasst, der Freund leide im Grunde für ihn. Diesen Gedanken könne er nicht länger ertragen, er überlege, nach Deutschland zurückzukehren und sich verhaften zu lassen.

«Das sollten Sie unterlassen», riet Aline, die sich wieder gesetzt hatte, «was nützt es, wenn man Sie ebenfalls einsperrt, Ihrem Freund, dem man noch ganz andere Dinge vorwirft, bestimmt nicht – und der Sache der Emigranten auch nicht!»

Tucholsky hörte sich stumm den Einspruch an, legte den Kopf in die Handflächen und verfiel in dumpfes Brüten. Sein Schweigen erschien ihr noch unheimlicher als der ungebremste Redefluss. Hilflos schenkte sie ihm ein weiteres Glas Whisky ein. Jetzt begann er wieder zusprechen, langsam, wie gegen einen Widerstand. Was er sagte, war in tiefe Melancholie getaucht: Mit seiner Schreibarbeit sei es zu Ende. Weiterfahren wie bisher? Gerade das gelinge ihm nicht. Mitfühlend riet sie ihm dies und jenes. Darauf sagte er resigniert: «Ich bin ungebildet, habe nichts als eine freche Schnauze.»

Er könne doch studieren, Vorlesungen gebe es in Zürich genug, Zeit und Muße habe er jedenfalls?

Er hörte nur halb hin. Fing an, über seine bisher publizierten Bücher herzuziehen, sie seien nicht geglückt.

Sie blickte auf die Bücher, die er als Gastgeschenk mitgebracht hatte; sie hatte nur eins davon und das ohne große Begeisterung gelesen, fing aber an, es zu verteidigen.

«Sein Leben ändern, das kostet eine Stange Geld», stöhnte Tucholsky, ohne auf ihr Plädoyer zu hören. «Ich sehe mich als Bettler auf der Straße enden ...» Aline atmete tief durch und suchte nach tröstenden Worten. Nach Stunden erhob sie sich zum zweiten Mal, sie ging zum Fenster und schob den Nachtvorhang zur Seite.

«Es dämmert», sagte sie, «die Vögel beginnen zu zwitschern.» Es war jedoch das Geräusch des sich öffnenden Eisentors.

«Ach», sagte sie erschrocken, «ich muss Sie jetzt wirklich fortschicken, gleich geht unten die Praxis auf! Wir sehen uns doch noch, bevor ich Sie demnächst nach Tarasp bringe?»

Mühsam rappelte er sich auf, sah jetzt klein und sehr zerknautscht aus. In der Türe streckte er sich ein bisschen, um die Hand der groß gewachsenen Gastgeberin zu küssen.

10

Ein Augusttag im Onsernone mit einem Himmel wie
geronnene Milch, weiß, mit bläulichen Rinnsalen dazwischen.

Früher Nachmittag. Luca schlendert die Dorfstraße
hinauf, die Fenster, zersägt von den Geländern der Holzbalkone, fangen das Funkeln der Sonne ein. Hinter den
Vorhängen denkt sich Luca Frauenblicke. Frauen bestim-
men hier alles, regieren den Hausstand, machen die Män-
nerarbeit im Stall und auf den Äckern.

Die Piazza hat sich mit grellem Licht gefüllt.

Sie wird zur Bühne für den Auftritt der alten Frauen, die
dunkel und aufgeplustert in langen Röcken und Schul-
tertüchern von einer Häuserseite zur andern wechseln,
mit einem von der Last des Tragkorbs steif gewordenen
Rücken.

Da − eine helle Bewegung. Das Wehen eines weißen
Rocksaums, ein grüner Schattenfleck auf dem Pflaster.

Die Sciora. Sie hat die bauchigen Strohtaschen in der
Küche vom Haken genommen, sich den Strohhut aufge-
setzt und geht zielsicher ausschreitend zum Einkaufen.
Nun bleibt sie stehen, entnimmt dem Korb einen Zettel,
überfliegt die Liste der zu kaufenden Dinge. Blickt auf.
Steht im flimmernden Licht. Der Rand ihres Strohhuts
wirft über die Wangen ein zitterndes Schattengitter.

Sie winkt Luca herbei.
Sein Herz klopft zum Zerspringen.

Er soll sie begleiten. Ihr helfen, die Einkäufe nach Hause
zu tragen.
Als Hüter ihrer Körbe geht er neben ihr her, auf dem von
einem Sonnenband glänzenden Pflaster.
Ihre Schatten eilen voraus, als wären sie eigenständige
Wesen, berühren und überschneiden sich, zittern, ein
bläulicher Tanz.
Auf dem Platz dreht man sich nach ihnen um. Das Wirts-
haus steht offen, im hellen Ausschnitt der Tür gehen sie
vorüber wie auf einer Bühne. Ein wirkungsvoller Auftritt, das Gespräch an den Tischen bricht ab.
Im Flur der Barca kommt ihnen Maria entgegen mit
einem vollen Tablett: Im Garten auch für Luca ein Glas
Grenadincsirup, ein Stück von Marias bewährter Brot-
torte.
Die Sciora will, dass er am Gartentisch Platz nimmt, er tut
es ungern, verlegen grüßt er die Gäste, vom oberen Ende
nickt ihm Paolo Rossi flüchtig zu, die beiden Siamkatzen
der Sciora, Henri und Garage, räkeln sich auf den warmen Granitplatten.
Der Künstler Haller und die junge Frau Marietta von
Meyenburg sind in ein Gespräch vertieft, auch Binia und
Max Bill sind für ein paar Tage gekommen. Der Chinese
soll mit Scior Rosenbaum im Auto nach Zürich abgereist
sein, dafür ist aus Zürich ein neuer Emigrant angekommen, die Posthalterin hat es im Dorf erzählt.
Zürich und Comologno. Da webt sich ein geheimes Hin
und Her.

Tucholsky hat eben ein Bad genommen, steigt pudelnass aus dem Becken, über seiner Badehose wölbt sich der Bauch.

«Ach, Tucho mit den Edelbeinchen», sagt der Bildhauer Haller, «sind sie nicht zu zart, um solch einen Bauch zu tragen?»

Die hübsche Marietta lacht geniert.

Die Sciora eilt ins Haus, kommt mit Strohhüten zurück, die Köpfe der Gäste sollen vor der südlichen Sonne geschützt werden.

Lucas Großvater hat noch eine solche Kopfbedeckung getragen, man hat sie, zur Blüte der Strohindustrie, im Tal angefertigt: Zylinder, die sich nach oben erweitern, aus feinen Strohbändern geflochten.

Binia Bill knipst einen ihrer berühmten Schnappschüsse: Tucholsky mit Strohzylinder und Badehose.

Er weiß, wie ulkig das wirkt, schlüpft in die Rolle des Conférenciers und legt los.

Ein Bonmot jagt das andere. Glaubt sich wohl auf der Bühne, glaubt wohl, verantwortlich zu sein für die Unterhaltung der Leute da oben in dieser Bergeinsamkeit!

Luca versteht nur wenig Deutsch, doch es fasziniert ihn, einen Menschen so viel und so schnell sprechen zu sehen: Lippen, frisch gewetzt. Sie spucken Wörter, einen Wasserfall von Wörtern!

Und wenn Herr Tucholsky nach Luft schnappt, verstopft er die Sprechpause mit einem kleinen norddeutschen *Nich*.

Lachsalven dröhnen durch den Garten, die Luftsäulen über den Lavendelbüschen zittern. Die Sciora, mit einer

Schere bei ihren Rosen, spürt unter dem Redeschwall die Verletzungen. Die Verzweiflung des Herrn Tucholsky. Sie drückt sich in seinen Kinnladen aus: Er redet gegen die Angst, isst gegen die Angst. Futtert, spricht, futtert.

Dabei schmeckt ihm nichts. Sagt er. Marias Torta di pan verwandelt sich in Sägespäne, quillt aus den Mundwinkeln heraus.

Rossi, oben am Tisch, ist verstimmt. Aha, die Italienischstunde!, denkt Luca, es wäre längst Zeit, doch die Sciora macht keine Anstalten, mit Rossi ins Haus zu gehen, auf seine melodischeren Worte zu hören. Oder einfach mit ihm zu schweigen, Schulter an Schulter …

Wenn er ein *homme à femmes* sei, so sei sie eine *femme à hommes* …
Tucholsky sagt ihr das auf der Fahrt nach Tarasp. Nach dem ersten Nachtessen in Zürich war Tucho, wie ihn seine Freunde nannten, dann und wann bei den Rosenbaums erschienen, meist war es Aline, die ihm bis in die Nachtstunden Gesellschaft leistete. Nach Gesprächen über Politik und Kultur kamen sie auf persönliche Themen, oft verfiel der Gast in Trauer und Zynismus.
Er ist ein verhinderter Sentimentaler, notierte Aline.
Sie war angetan von seiner Art zu erzählen, sie mochte seine Schilderungen des Nachtlebens in Berlin. Sprach er davon, bekam er seine Plüschaugen, manchmal griff er nach ihrem Arm, bettete den Kopf an ihre Brust. Es hatte Momente gegeben, wo sie nahe daran waren, eine Affaire zu beginnen, wäre da für Aline nicht der Stachel eines

Argwohns gewesen, dass Frauen für ihn zwar notwendig, aber austauschbar waren.

Im gleichen Atemzug, in dem er seiner Gastgeberin schmeichelte, schwärmte er von den Beinen einer Kellnerin im *Terrasse*, von einer Freundin in Winterthur oder von seiner pummeligen Ärztin Hedwig Müller in Zürich. Vielfalt, die ihn offensichtlich weder wärmte noch sättigte.

Tief verborgen, so schien ihr, war da eine Verletzung, verursacht durch den Verlust einer Liebe: Er macht es mit allen, weil er es mit der einen nicht kann. Eines Nachts, gelockert vom Whisky, hatte er zugegeben, Frauengeschichten erschöpften sich für ihn meist in Unterröcken, Spitzen, Busen.

Irritiert von seiner Bemerkung, sie, Aline, halte es ja ähnlich, dachte sie über ihr Verhältnis zu Männern nach. Stellte dann fest, sie benötige Intensität und eine geistige Seite der Beziehung. Und doch war sie erschreckt, ja aufgescheucht vom Blick in Tucholskys Zerrspiegel.

Schließlich kam der von Dr. Katzenstein festgesetzte Abreisetermin nach Bad Tarasp im Engadin.

Aline am Steuer ihres Ford, die Straßen damals noch ungeteert, durch das halb offene Fenster drang Staub. Wir werden heute Abend ganz überpudert im Engadin ankommen, sagte sie und deutete auf seine weiße Nase.

In Tiefencastel, wo sich der Himmel grau zu überziehen begann, aßen sie im Freien zu Mittag, die Tische standen im Höfchen zwischen südlichen Pflanzen in Kübeln. «Ich freue mich mehr auf die Nachkur bei Ihnen im Süden», sagte Tucho und sprach von seiner Furcht, es stehe ihm

eine langweilige Zeit bevor. Wieder aß er hastig und in
großen Mengen, was ihn nicht hinderte, an der Qualität
der Speisen herumzumäkeln.

Kaum waren sie wieder im Auto, begann es zu regnen.
Der Beifahrer wurde schläfrig und horchte in sich hinein.
Aline, begleitet vom Regentamburin und Tuchos Ver-
dauungsgeräuschen, konzentrierte sich auf die Bergstraße
und drehte ihre Kurven. «Entschuldigen Sie», brummte
Tucholsky plötzlich, «dieses leidige Aufstoßen, mit meinem Magen stimmt etwas nicht, sagt Dr. Katzenstein.»

Aline kannte seine hypochondrische Art, wollte ihn
ablenken: Die Frauen und Tucholsky, wäre das nicht ein
besseres Thema?

Er strahlte, plötzlich hellwach. Ja, Frauen seien für ihn
wichtig, er brauche sie.

Ob er viele geliebt hat?

«Geliebt? Vielleicht nur eine. Mary. Blond, eine Baltin.»

«Ihre erste oder zweite Ehefrau?»

«Die erste vor der ersten.» Er lachte.

«Auseinander gelebt?»

Ja, er habe Fehler gemacht, sei weniger für das Glück als
für das Unglück geboren. Er hüstelt. Sie kommt ihm zu
nah mit ihrer bei Oczeret und Jung erworbenen Fähig-
keit, ein Fangnetz von Fragen auszulegen. Auch im weiteren Verlauf des Gesprächs windet er sich, spürt, dass sie
mit ihrem siebten Sinn seine Phantasien errät. Sagt nichts,
indem er viel und schnell spricht.

Sie bemerkt seine brüchige Stimme. Um Sentimentalitäten zu entgehen, wird er gleich dem Gespräch eine zyni-
sche oder frivole Note geben, denkt Aline. Ist dann doch
schockiert, als er sagt:

«Und jetzt? Jetzt habe ich eben in jeder Stadt eine Braut.»

«Braut?», wiederholt sie und schaut ihn fragend von der Seite an.

Er lacht. Macht seine legendären Plüschaugen. Trällert, als stände er vor einem Publikum:

Er schmeißt Champagner für die lieben Bräute,
den Hut tief in der Stirn:
Was kost' Berlin?

«Eines Ihrer Chansons?»

Er nickt, in Berlin habe er die braven Bürger gegen sich aufgebracht. Figuriere seither auf sämtlichen schwarzen Listen des braunen Regimes. Seit ein paar Jahren schreibe er unter verschiedenen Decknamen wie Peter Panter, Theobald Tiger, Ignaz Wrobel, Kaspar Hauser … Vor allem für die *Weltbühne*, er habe ihr ja von seiner Zusammenarbeit mit Ossietzky erzählt.

Die Unterhaltung droht wieder in Trauer abzusacken. Noch einmal reißt Aline das Steuer des Gesprächs herum: «Um auf das erste Thema zurückzukommen, lieber Tucho, Sie sind also ein *homme à femmes* …»

«Das klingt hübsch!» Er lacht glucksend. «Aber dann darf ich Sie auch eine *femme à hommes* nennen, Aline.»

«Wie kommen Sie darauf?»

«Dr. Katzenstein sagt es. Und mit ihm wohl *tout Zurich*. Wissen Sie, dass Dr. Katzenstein seinen Emigranten Kuren im Onsernone-Tal aus diversen Gründen empfiehlt?»

«Und aus welchen Gründen?» Sie fragt es ein bisschen pikiert, weil sie die Antwort schon kennt.

«Nun, die gute Luft. Die vorzügliche französische Küche. Und dann, wenn er Glück hat, wird der Gast auch von der schönen Gastgeberin – wie sagt man: belebt und beliebt …»

«Diese Dinge werden stark übertrieben. An welche Gäste denkt man denn konkret?»

«Mhm, zum Beispiel an Ernst Toller. Ein schöner Mann, nicht?»

«Schön?» Sie lacht. «Viel mehr als das.»

In ihr Tagebuch hatte sie geschrieben: *Schlank, aufrecht, helles Gesicht mit den groß offenen Augen eines Inspirierten.*

«Ich hatte von Toller im Voraus viel gehört und gelesen», sagt sie, «er war doch wegen seiner Teilnahme an der Münchener Räterepublik zu fünf Jahren Festungshaft verurteilt, einige seiner Stücke wurden noch während seiner Haft auf Bühnen gespielt, aber das wissen Sie ja. Und dann, eines Tages, stand er einfach im Baumwollhof im Flur. Irgendjemand hatte ihn heraufgelassen, in die Privatwohnung.

Wladimir und ich saßen mit ein paar Leuten im Salon, da hörte ich die Tür gehen und sah im Flur diesen schönen jungen Mann.

Der wirkte ganz entgeistert.

Zeigte dann auf das Grammophon, das immer dort steht für unsere Tanzabende, und sagte als Erstes: ‹Ich möchte mit Ihnen Walzer tanzen.›

Wladimir, der mitgehört hatte, ließ das Grammophon laufen. Wir tanzten. Damals, wissen Sie, hat man im Tanz alles ausgedrückt: Wir haben seine neu gewonnene Freiheit getanzt. Die anderen Gäste haben dann im Salon die Diskussion abgebrochen und wollten im Korridor zu neuer Jazzmusik tanzen. Toller, diese neuen Tänze nicht gewohnt, hat sich an die Wand gestellt und zugeschaut. Er war einsam, verletzt, erwachte erst, wenn er reden konnte, immer stehend, wie Hof haltend, leidenschaftlich, oft wie im Fieber.»

«War er nicht lungenkrank?»

«Mag sein, dass er zuerst in der Schweiz eine Kur machen musste ...»

«Und dann», nahm Tucholsky den Faden wieder auf, «hat ihn Dr. Katzenstein zur Nachkur zu Ihnen ins Gebirge geschickt und ihm neben frischer Luft auch ein bisschen Erotik versprochen?»

«Ja, offensichtlich, Toller hat es mir später lachend erzählt. Zunächst haben wir zusammen Emil Ludwig in Ascona besucht, dann, in Comologno, waren wir allein. Wir waren sehr glücklich, Herr Tucholsky – gerade, weil es kein banaler Flirt war! Toller ist ein Mensch von großer Sensibilität, Sprache bedeutet ihm viel, wir haben damals Gedichte des alten chinesischen Dichters T'ao Ch'ien aus der französischen Übersetzung meines chinesischen Freundes Liang Tsong Tai ins Deutsche übertragen. Aber auch die Angestellten in Zürich liebten Toller mit seiner einfachen und gütigen Art mehr als die andern Gäste: Nach allem, was er erleben musste, hatte er ein Gespür für die Würde des Menschen.»

«Was er erlebt hat, kann auch töten ...» Tucholsky sagte es nachdenklich. Und leise, wie zu sich selbst: «Willkür und Demütigung schwächen das innere Immunsystem. Bis einer, vielleicht erst nach Jahren, nur noch den einen Ausweg sieht ...»

Sie wird an diese Bemerkung denken, als sie 1935 von Tucholskys und 1939 von Tollers Freitod erfährt.

«Das also war Toller. Und von wem spricht man noch in Ihren Kreisen?» Sie blickt Tucholsky von der Seite an, ihr Ton ist jetzt fast neckisch.

Er schmunzelt: «Ah, da gibt es noch eine ganze Liste. Angeführt wohl vom Maler Walter Helbig.»

Die Straße zieht sich in Spitzkehren den Pass hinauf, sie dreht eine Kurve, Schotter spritzt auf.

«Nicht schlecht beobachtet», lobt sie, «zumindest, wenn man chronologisch vorgehen will.»

Walter Helbig, unvergessen. Sie schweigt, während ein innerer Film abläuft: Warme, farbige Szenen, in Orange und Feuerrot gehalten, doch ihre Hände, in Handschuhen, ruhen kühl auf dem Steuer.

«Tatsächlich, Sie sind eine ausgezeichnete Automobilistin, Aline», lobt Tucholsky. Und ist dafür, dass man auf der Höhe des Julierpasses einen Moment aussteigt. Es regnet nicht mehr, doch der Himmel ist bedeckt.

Kurze Talfahrt ins Engadin. Und dann, als sie den Inn entlangfahren, hakt Tucholsky wieder ein:

«Und all die Namen dazwischen, Aline? Secondino Tranquilli zum Beispiel, der, wie man hört, bald seinen ersten Roman in deutscher Übersetzung herausgeben wird unter dem Pseudonym Silone?»

Sie wehrt ab: «Ach, er gehört nicht auf diese Liste. So wenig wie Rosenbaum.»

«Aber es gab doch auch banale Flirts?»

Sie nickt: «Begegnungen, die über einen bestimmten Ansatz nicht hinausgekommen sind.»

«Aber der bestimmte Ansatz hat doch Spaß gemacht?»

Sie wirft den Kopf zurück, lacht.

«Man sagt, dass Sie es sind, Aline, die sich die Männer aussucht. Eine für Frauen bemerkenswerte Autonomie. Haben Sie auch schon mit zwei Kerlen gleichzeitig geschlafen?»

Sie ist schockiert, wird später im Tagebuch notieren: *Und er hat wirklich Kerle gesagt.*

Er spürt, er ist zu weit gegangen, und sagt wie zur Entschuldigung: «Was ist da für ein moralischer Unterschied, wenn man hintereinander mit zwei verschiedenen Männern schläft oder gleichzeitig mit beiden?»

Und sie denkt nicht ohne Widerwillen: Er hat es zustande gebracht, das Gespräch auf seine Ebene zu ziehen, jetzt bin ich dort, wo ich ihn eigentlich haben wollte: am Angelhaken der Fragen.

«Genug!», wehrt sie ab. Sie müsse sich konzentrieren, er sehe ja selbst, die Talstraße Richtung St. Moritz sei ziemlich befahren.

Sie trafen spät in Tarasp ein, die Berge schon grau und erloschen, der Fluss vom Regen angeschwollen, ein zorniges Rauschen erfüllte den Ort.

Nach dem Essen wollten sie sich noch ein bisschen die Beine vertreten, sie standen am Inn, die Wassermassen tosten, die mahlenden Steinbrocken im Flussbett wirkten bedrohlich. Am Brückengeländer nahm Tucholsky ihren Arm und legte seinen Kopf auf ihre Schulter: *Die großartige Landschaft war in ihn eingefahren und weckte ein großes, verlorenes Kind.*

Zurückgekehrt ins Hotel, zeigte er ihr sein Zimmer, es war ein Doppelzimmer.

«Warum», fragte sie, «das kostet Sie doch?»

«Man kann nie wissen», sagte er.

Am nächsten Tag wollte Tucholsky sie unbedingt bis Sils-Maria begleiten. Dort wohne eine interessante Dame mit ihren schönen Töchtern. Aline tat ihm den Gefallen und fuhr über den Malojapass ins Onsernone weiter: *froh, aus den seltsamen Welten des Tucholsky herauszukommen.*

11

Die seltsamen Welten der Barca.

Der Palazzo ist ein Fremdkörper im Dorf. Die hinter der Mauer haben ihre eigenen Gesetze!

Die Sciora trägt neuerdings Türkenhosen, hat die Posthalterin bemerkt und beigefügt: «Die Orientalen, die solche langen pludrigen Hosen tragen, treiben Vielweiberei!»

«Was ist Vielweiberei?», will Luca am Abend von seiner Kusine wissen, und Federica, ein bisschen erstaunt über sein Interesse, hat gesagt: «Viele Orientalen denken, dass keine Frau ganz das sein kann, was ein Mann sich erträumt. Er nimmt sich also eine nach der andern, doch jede lässt auf ihre Weise zu wünschen übrig.»

«So könnte der Mann auch bei der einen bleiben, es käme auf dasselbe heraus?»

«So ist es wohl.»

«Und du, Federica? Hast du schon den einen gefunden?»

Federica winkt mit einer verächtlichen Gebärde ab, als gingen sie Liebesdinge nichts an. Doch am Abend schaut Luca zu, wie sie sich vor dem Spiegel im Flur den Mund schminkt und dann den Rand eines Briefes küsst. Lippen als rote Stempelkissen. Die Abdrücke der Küsse umgeben die von leichter Hand geschriebenen Zeilen wie Rosenblätter.

«Leih mir den Lippenstift, Federica, ich möchte das auch probieren.»

«Luca, du spinnst.»

«Luca!» Die Stimme der Serafina: «Wo warst du gestern so lange? Man hat dich neben der Sciora durchs Dorf gehen sehen!»

Die Großtante, sonst einsilbig, ist rot im Gesicht von ihrer Empörung, und Luca, am Geländer der Lobbia, wendet den Kopf, als weiche er dem Schlag ihrer kleinen, metallenen Sätze aus.

«Nein, ich glaube nicht alles, was man sich so erzählt», sagt Serafina, «ich mag sie nicht einmal nennen, diese üblen, abgeschmackten Dinge ...»

Sie braucht nichts auszusprechen. Luca kennt das Gerede.

Im Halbschlaf steigen Bilder auf: Lustknaben (ein Ausdruck von Violetta) tanzen im Mondschein. Die Sciora schaut zu, verwandelt sich in eine Raubkatze, oh, wie ihre Augen schmal werden, wie sie die Beute fixiert. Sie leckt sich die Lippen, nähert sich geschmeidig, und Luca, jetzt neben Paolo unter den nackten Tänzern, erwartet im Nacken einen weichen Schlag ...

Am Tag zerrinnen diese Bilder wie Märzschnee an der Sonne.

Die Welt der Frau im Palazzo ist kühler: Oben auf ihrem Ausguck weht der Bergwind, sie hält sich die Jacke über der Brust zusammen. Kontrolliert die Instrumente. Beobachtet den Kurs. Eine Möwe hat sich auf die Taurolle gesetzt. Das Meer hat sich erschreckend abgekühlt. Sie allein trägt die Verantwortung.

Am Ufer, klein wie Spielzeug, schon wieder Neue, die aufgenommen werden wollen in die rettende Arche.

Der Vater hat es Luca auf der Landkarte gezeigt: «Die Dörfer im Onsernone sind gewissermaßen der Scheitel der Welt. Stell dir einen Dachfirst vor, Luca, von dem das Wasser abfließt nach Norden und Süden. Hinter Spruga kann man auf einem Waldweg nach Italien spazieren, und wer gut zu Fuß ist, gelangt über Domodossola westwärts nach Frankreich. Auf der andern Seite führt der Weg über den Gotthard in die *Svizzera interna*, von dort aus den Rhein entlang, nach Österreich und Deutschland.»
Vaters Finger fährt sanft, wie gegen den Strich, über das Rückgrat der Berge. Ruht aus auf den Häufchen der Dörfer.
«Ja, aus allen Himmelsrichtungen kommen sie», sagt die Posthalterin, «alle finden unser Comologno. Für Herrn Tucholsky ist gestern ein weiterer Koffer per Frachtgut angekommen, zwei Männer waren nötig, ihn in der Barca die Treppen hochzuwuchten!»

Ob er die Koffer des Herrn Tucholsky einmal sehen dürfe? Luca brachte die Bitte der Köchin Maria vor. Er wusste, sie war ihm gewogen, sie, eine Witfrau, hatte als Mädchen noch seine verstorbene Mutter gekannt. Sie schätzte es, dass Luca Grünzeug für die Kaninchen brachte und es den Frauen der Barca ersparte, es selbst am Wiesenbord zu suchen (was sie, besonders im Fall der Signora Rosenbaum, für entwürdigend hielt).
«Du hast Glück», sagte sie, «die Gäste sind fort, auf einem Ausflug ins Luganese. Komm also.»

Sie winkte, und er folgte ihr die Treppen hoch ins blaue Zimmer. Dort standen die Schrankkoffer hochkant im Raum.

«Alle noch unausgepackt», Maria sagte es ein bisschen ungehalten.

Luca ging um jeden der Koffer herum. Betrachtete die Etiketten. Zwei der Ungetüme standen ein wenig offen, es entquollen ihnen Herrenhemden und Unterwäsche, alles in einer städtischen, hierzulande unbekannten Qualität.

«Der Herr Tucholsky hat mehr Wäsche zu uns heraufschleppen lassen, als ein Mensch im Onsernone sein ganzes Leben lang braucht», bemerkte Maria. «Er wechselt mehrmals täglich seinen Anzug, braucht jeden Tag mindestens zwei Oberhemden!»

Sie stöhnte, strich mit ihrer von der Küchenarbeit geröteten Hand über ein Kleidungsstück: «Tag- und Nachtwäsche, alles vom Feinsten! Dort drüben der Stapel von Taschentüchern, aus bestem Leinen, hundertzwanzig Stück hat die Sciora gezählt!»

Das Zimmermädchen bügle ihm seine Sachen nicht gut genug. Die Sciora müsse die Hemden von einer Wäscherei in Locarno besorgen lassen, ja, gewisse delikate Stücke bringe der Scior in ein Waschatelier nach Zürich!

«Doch genug damit, Junge, nun geht es flink ans Beereneinkochen, wenn die Gäste wieder da sind, bleibt für so etwas keine Zeit …»

Zu Beginn gab Maria für Herrn Tucholsky ihr Bestes, geriet ins Schwitzen beim Schlagen des Eigelbs für eine Extrasauce, der Sahne für eine Beilage von Meerrettichschaum.

Wenn sie neben dem Diener René servierte, beobachtete sie den mit vollen Backen kauenden Dichter, immer in Erwartung, dass er einmal sein Gesicht hebe und ein Lob spende, das sie gleich zu neuen Kreationen beflügelt hätte. Doch dann erschien die Sciora mit dem Diätplan des Dr. Katzenstein.

«Wir müssen uns daran halten», sagte sie streng, «der schwer erkämpfte, fast unsichtbare Erfolg der Abmagerungskur von Tarasp ist sonst dahin!»

Sie setzte sich mit Maria an den Tisch und stellte den Speiseplan zusammen: «Jeder Gang muss doppelt geführt werden: Als Vorspeise Pasta für die Normalen, Salat für die Schwergewichte. Als Hauptspeise Braten für die Normalen, fettfreies Fleisch für die Dicken. Zum Nachtisch Cremespeisen oder Gebäck für die Normalen, für die Dicken Fruchtsalat.»

Diese Mehrarbeit nahm die Köchin, wenn auch widerwillig, auf sich. Sie dämpfte Gemüse, brutzelte Koteletts, warf ein Stück mageres Rindfleisch in den Gemüsesud. Alles doppelt. Sie schwitzte. Brauchte zum Kochen zwei Stunden länger als sonst. Doch eines Abends stellte sich Maria vor die Padrona, stemmte die Arme in die Hüften und erklärte: «Der Diätplan des Dr. Katzenstein ist für die Katz!»

«Was soll das heißen, Maria?»

«Also, wir machen uns die Mühe, immer mit Seitenblick auf den schwergewichtigen Herrn Dichter, und was passiert? Der Herr isst brav seinen großen Teller Salat, dann bedient er sich ebenso großzügig von der andern Vorspeise. Auch das Dessert nimmt er zweifach! Dank unserer Maßnahme isst er doppelt so viel!»

Die Sciora seufzte. Sie hatte es vermutet.

Doch Maria hatte Tucholsky auch beim Frühstück beobachtet: «Er ist morgens der Erste am Tisch. Futtert allein seine Brötchen, trinkt vom Milchkaffee. Bleibt dann sitzen, bis die nächsten Gäste kommen, plaudert und isst mit jedem das Frühstück noch einmal durch!»

Die Sciora sehe es ja selber, die Badehose des Herrn Tucholsky sei, des Bauches wegen, ganz *dekolletiert*!!

Die Sciora lachte, doch im Grunde ärgerte sie sich, denn Tucholsky verdrückte diese unglaublichen Mengen irgendwie lustlos.

«Meine Geschmacksnerven sind abgestorben, alles schmeckt wie Sägemehl!», hatte er einmal geklagt.

Vor seiner Abreise machte er im Gästebuch auf witzige Weise seiner Frustration Luft. Der Eintrag, zur Hälfte französisch, lautete gekürzt und übersetzt etwa so:

Tischklingel (fürs Buffet)

Gebrauchsanweisung:

Man drücke mit dem Zeigefinger der linken Hand leicht auf den Knopf: Es erscheint:

René: –?–

Madame: Ist noch Käse da?

René: Ja, Madame.

Nun geschieht zunächst nichts.

René (mit Stimme No 3): Es gibt keinen Käse mehr, Madame!

Madame: Es ist kein Käse mehr da?

René (ersterbend): Aber ich habe noch vom chameau brisé …

Madame (die Nase in der Luft): Nein, lassen sie! (bei sich): Lauter Dicke. Die sollen überhaupt nicht so viel essen! Wer noch Hunger hat, kann nachher baden! (Die Tafel wird aufgehoben.)

Die Klingel: Wenigstens hat sie mich mit der Hand berührt.

Aline notierte später in ihrem Tagebuch:
Die Vorstellung, er müsse sich einschränken, war ihm eine Qual. Er litt sehr und eigentlich tapfer. (…) Ich glaube, er war unglücklich und ratlos.

12

Die Gäste waren für zwei Tage ins Luganese ausgeflogen. Aline genoss es, allein zu sein. Sie ging durchs Haus, Zwiesprache haltend mit Bildern und Möbeln.

Als Kind hatte sie sich gerne zurückgezogen, war unbeweglich auf ihrem Stuhl gesessen und hatte auf ihren Atem gehört. *Die Seele ausschicken* hatte die Achtjährige das genannt. Mit niemandem sprach das Kind über diese wundersamen Momente der Einsamkeit.

Die erwachsene Aline hatte diese Fähigkeit, sich ganz zu versenken, verlernt, erst hier in der Barca entdeckte sie dieses Insichruhen neu. Sie liebte dieses alte Haus, das ihr eine Schale geworden war, ein erweitertes Ich.

Inmitten der Gäste empfand sie sich manchmal wie nur halb anwesend, da und doch nicht da. Das Lachen, die Gespräche der Gäste berührten sie nur von fern.

An diesem Morgen wurde ihr bewusst, es gab noch eine andere Person im Palazzo, die ein wunderliches Eigenleben führte inmitten der andern.

Die Terza. Im oberen Stock, in den ihr durch das Testament zugeschriebenen zwei Zimmern, war sie vom Treiben der neuen Sciori umschlossen wie eine Fliege im Bernstein.

Neuerdings hatte der Scior sogar auf ihrem Flur für die Regentage eine Tischtennisplatte aufgestellt. Sie ärgerte sich über das Hopsen der kleinen Bälle, litt aber still. Manchmal fragten die Gäste, ob denn die alte Magd noch lebe? Sie ließ sich nie blicken, lehnte den Kontakt mit den Mitbewohnern ab, das Haus verließ sie nur über ihren eigenen Hinterausgang.

Aline fasste an diesem Morgen den Mut, an der Tür der Terza anzuklopfen. Fand dann die alte Magd auf einer Stabelle neben dem rauchgeschwärzten Holzherd, wie die meisten betagten Leute im Tal kochte sie ihre Polenta noch im Kupferkessel über dem offenen Feuer. Nebenan auf dem Gasherd, auch der schon eine Antiquität, hatte sie sich ihren Milchkaffee gewärmt. Nun schnitt sie in Gegenwart der Sciora Brot in die Schale, fischte mit einem Löffel die aufgeweichten Brocken heraus und aß jeden mit einem kleinen Schlürfen.

Der Blick aus ihren kleinen, von Falten umstellten Augen war feindselig. Noch immer hatte die Terza Mühe zu begreifen, dass der Palazzo nicht allein ihr gehörte. Sie lebte, inmitten der kosmopolitischen Gäste, zurückgezogen ihr bäurisches Leben, stand um fünf auf und ging mit den Hühnern zu Bett. Das Getrappel auf den Treppen, das Gelächter vom Garten herauf ignorierte sie, auch im Sommer blieben ihre Fenster geschlossen. Für sie war die Zeit stillgestanden, sie tat, als gäbe es die neuen Sciori mit ihrem lächerlichen Getue nicht.

Aline betrachtete mit Respekt die essende Magd. Die Terza beachtete die neue Besitzerin kaum, bis zu dem Moment, wo der Sciora einfiel, sich nach dem Befinden der Kuh zu erkundigen. Da trat ein munteres Blitzen in die alten Augen. Die Kuh war der Terza ihr Ein und Alles. Jeden Herbst warf sie ein Kalb, und die Alte konnte auf ihre genügsame Weise ein Jahr vom Verkauf der Milch und des Jungtiers leben. Frühmorgens, wenn die andern Bewohner noch tief im Schlaf lagen, verließ sie den Palazzo über den Hinterausgang, der vom zweiten Stock aus über eine kleine Brücke zum Hang mit dem Stall führte, sie melkte, hantierte mit dem Heurechen, besorgte dann ihren kleinen Acker, der ihr alles lieferte, was sie zum Leben brauchte. Nur einmal in der Woche kaufte sie im Dorf Brot für den Milchkaffee.

Jetzt war die Kuh wieder trächtig. Terza lobte ihre Lefzen, ihre munteren Augen, den dick gewordenen, weichen Bauch mit seiner seidigen hellen Unterseite, kurz, es sei die schönste Kuh im Dorf, für ihr Wohlergehen verschaffe sie ihr besondere Kräuter.

Dann schob die Alte ihre Milchschale weg, lehnte sich auf ihrem Stuhl zurück und seufzte. Die Sciora erinnerte sie immer an die Schmach, die ihr der alte Padrone angetan hatte mit dem Testament, das sie zwang, den Sommer mit seinen Störungen zu überdauern: tagsüber bei der Feldarbeit und abends still in ihre Zimmer geduckt, sich damit tröstend, dass auch in diesem Spätherbst die Stadtleute vor der Kälte des Bergwinters fliehen würden. Dann würde das Haus wieder still und leer. Sie würde aufatmen, treppauf und treppab alle Räume betreten: eine Rückeroberung.

Die Gewissheit, auch die neuen Besitzer zu überleben, erfüllte sie mit geheimem Triumph. So hielt sie Zwiesprache mit jedem Balken, jedem Granitstein im Flur, jedem Fleck und jedem Nagel an der Wand.

Freilich hing dort auch im Winter der merkwürdige Kram der Sciori. Die Masken zum Beispiel mit ihrem heimtückischen Lächeln. Doch sie fügten sich der Herrschaft der Terza, wie Kinder sich wohl oder übel einem neuen Meister fügen müssen, wenn die Eltern abwesend sind.

Die Terza behauptete nämlich steif und fest, wenn die Sciora da sei, spuke es im Haus. Unter den Masken lägen täglich in der Früh kleine Häufchen von Sand. Eine kopflose Gestalt gehe in den Turmzimmern um, Schritte tappten, und die Laterne im Flur beginne in gewissen Nächten plötzlich zu flackern, ganz von selbst.

Die Sciora verabschiedete sich. Versonnen setzte sie ihre Wanderung durch das Haus fort, gelangte über eine steile hölzerne Treppe in das untere, dann in das obere Zimmer des Turms. Diese bescheidensten Kämmerchen des Hauses waren bei einigen ihrer Gäste beliebt, fühlte man sich doch in dieser Höhe frei und genoss den Ausblick ins Tal, die warmen Granitplatten der Turmterrassse luden ein zum Sonnenbaden.

Als Aline das obere, spartanisch eingerichtete Zimmer betrat, streifte sie eine rötliche Wärme, ein farngrüner Schein, es kam von Helbigs Bild. Der Künstler hatte es in der Barca gemalt. Es stellte eine Art Südseezauber am Lago Maggiore dar, eine Frau mit nacktem Oberkörper, am Boden sitzend, der lang gezogene Rücken, aus dem Blattschatten leuchtend, von pulsierendem Rot. Die Frau schien drei kauernden, im Grün versunkenen Gestalten etwas zu erzählen, den Arm zu einer Geste erhoben, das Gesicht zurückgewandt, als suchten ihre Augen aus dem Bildausschnitt heraus den Maler.

Es waren Alines schlanke Glieder, ihr lang gezogener Rücken, ihr dunkles Haar.

Mit Helbig zusammen hatte sie es erfahren: Liebe lässt den Augenblick gerinnen.

Doch überall, wo Leben ist, ist auch Tod. Dass sich die Beziehung so bald wieder löste, war nicht Rosenbaums Schuld, er war großzügig, verschloss scheinbar die Augen. Nur für Aline gab es dann und wann einen Balanceakt zwischen den beiden Männern.

Einmal packte Helbig im Baumwollhof seine neuen Bilder aus, kleine Paradiese mit sprechenden Tieren, sich liebenden Blumen, die Farben auf eine zarte Weise expressiv. Und plötzlich Ros Stimme: «Also, ich mache dir einen Vorschlag, du gibst mir die vier Bilder, und ich gebe dir dreihundert Franken.»

Aline kam es vor, als packe ein Windstoß sie und trage sie aus Helbigs Welt in einen kahlen Raum, kunstvoll nach logischen Gesetzen aufgebaut, und die leeren Wände warfen das Echo zurück: dreihundert Franken … dreihundert Franken.

Die beiden Welten standen ihr fremd gegenüber, da war keine Brücke, sie begann zu weinen.

Da drückte sie Helbig sanft an sich, und Wolodja *machte seine besten, seltensten Augen und küsste sie auch,* und die beiden Welten, zwischen die sie so hart gefallen war, waren plötzlich eins.

Ein paar Zeilen weiter entwirft das Tagebuch die Vision einer paradiesischen Welt zu dritt:

Ich habe einen Mann und einen Geliebten.

Nicht etwa zwei Männer oder zwei Geliebte habe ich, nein, einen Mann und einen Geliebten.

Und nicht etwa Helbig könnte mein Mann sein: Wolodja und nur er ist mein Mann und Helbig ist mein Geliebter.

Die Sache ist ganz klar. Mein Geliebter ist der Himmel und mein Mann ist die Erde (...) Wie wäre es, wenn die Erde zum Himmel und der Himmel zur Erde würde?

Auf der Höhe dieser Stimmung konnten auch diese Liebenden nicht endlos schweben. Nach einigen Wochen wurden in Aline die leidenschaftlichen Gefühle von der Sorge um die sterbende Mutter in Bern überdeckt. Aline, noch einmal im mütterlichen Sog, drehte ihr Liebestagebuch um und begann von hinten her zu schreiben.

Die Erfahrungen der Liebe sanken jetzt in einen unteren Teil, und oben begann Aline über den Verlust der Mutter zu klagen. Noch einmal, wie früher schon, stocherte sie in Schuldgefühlen. Die Liebe zu Helbig erlosch, als hätte sich die Mutter auch gegen diesen Mann gewandt.

Nach der Beerdigung erschien Aline der Kopf der Verstorbenen hinter einem Wandschirm. Und täglich um dieselbe Zeit füllte sich das Zimmer mit einer fahlen Gesellschaft von Toten. Die Bilder ihres Unbewussten drohten sie mitzureißen. Da Jung nicht im Land war, suchte sie den Beistand des Analytikers Trüb, der seit einer Weile auch Rosenbaums Berater war.

Wladimir erkannte die Gefahr, in der seine Frau schwebte, und ließ sich geduldig von ihren Gespenstern berichten.

Am Himmelfahrtstag jenes Jahres stand wieder der Mönch an ihrem Bett. Er war es, der damals gesagt hatte: *Ich bin du.* Diesmal trug er an einem Strick um seinen Leib ein hölzernes Fässchen und sagte: «Nun bist du so weit.»

Er nahm das Fässchen, entnahm ihm eine Salbe, bestrich ihre Füße und verschwand. Von dieser Nacht an besuchte sie die Schar der Toten nicht mehr.

Die Liebesverhältnisse im Haus Rosenbaum hatten sich in Zürich herumgesprochen. Ein wohlmeinender Freund bemerkte eines Abends nach dem *jour fixe:* «Wladimir, man sieht dich mit anderen Frauen und dich, Aline, mit deinem Maler. Bei dieser Lebensführung wird eure Ehe bald in Brüche gehen!»
Da blickte Wladimir Aline lächelnd an und sagte: *Niemals werden wir auseinander gehen, und hob mich mit einer Hand um die Taille ein wenig in die Höhe, niemals.*
Aline bewahrte diesen Satz wie einen Talisman. In den folgenden Jahre gab er ihr Zuversicht, dass da in allen Turbulenzen ein Unterstrom floss, unsichtbar meist und tief eingegraben wie der Fluss Isorno im Onsernone: die Liebe zwischen ihr und Wladimir.

Wer eigentlich hatte angefangen mit Nebenbeziehungen?
Eine Frage, die sich nur Dritte stellten, zwischen Wladimir und Aline Rosenbaum gab es offensichtlich keine solch kleinlichen Betrachtungen. Thema im Stadtgespräch – und später auch in literarischen Niederschriften – waren eigentlich immer nur Alines Liebschaften. Wladimirs Seitensprünge, so zahlreich sie gewesen sein mochten, hielt man wohl für ein Kavaliersdelikt.
Nur einmal zeigte sich Aline empfindlich: Als Wladimir während ihres Besuchs bei der sterbenden Mutter eine Straßendirne frequentierte und es Aline später gestand,

erlitt sie einen Schock. Von da an hatte ihr Rosenbaum nie mehr von seinen Seitensprüngen erzählt.

Sie setzte ihren Gang durch das Haus fort, stieg von den Turmzimmern hinunter in die kleine Bibliothek. Da hing, kleinformatig und golden wie eine Ikone, ihr Lieblingsbild von Wladimir. Ausgerechnet Helbig hatte es gemalt, zu ihrer Liebeszeit.

Rosenbaums Kopf, auf helle Farbkissen gebettet. Das Gesicht hat einen orientalischen Zug, erscheint entspannt, ja schlafend. Ein geschlossenes und ein blinzelndes Auge. Doch die scheinbare Abwesenheit ist bei näherem Hinsehen Ausdruck höchster Konzentration, wie man sie erkennen kann auf Bildern buddhistischer Weiser.

13

Luca hat in der Stadtwohnung in Locarno, wo sein Vater in der Verwaltung arbeitet, einiges geholt, eine wärmere Jacke, seinen Malkasten und den Globus, groß wie ein Kinderkopf und von innen beleuchtbar. Lehrer Gamboni hat Luca um diesen Globus gebeten, denn seine Schüler müssen wissen, wo Japan liegt, ohne Kenntnisse der Welt kommt man in Comologno nicht mehr aus.

Nun wartet er gegen Abend auf den Bus und ist erstaunt, als das Auto der Sciora neben ihm hält.

Die Köchin Maria hat auf den Hintersitz die vollen Einkaufstaschen gelegt, aber die Sciora winkt, für Luca sei da noch Platz genug. Man habe Herrn Tucholsky zur Bahn gebracht, ja, abgereist sei er, mitsamt seiner Schreibmaschine.

Die Sciora fährt schweigsam. Das Mittagessen mit Tucholsky liege ihr schwer auf dem Magen, er habe sie unbedingt einladen wollen in ein nobles Hotel, um endlich wieder einmal etwas Vernünftiges zu essen. Als hätte er im Onsernone gehungert. Auch hätte er am Vorabend am Telefon lauthals erzählt, er langweile sich tödlich in der Barca. Und nun war er zu einer seiner Bräute gefahren, nach Zürich zu Hedwig Müller, der Ärztin.

Hinter dem Steuer wirkt der Rücken der Sciora steif,

auch hält sie den Kopf schräg, als weiche sie immer noch Tucholskys Wörtern aus.

Die Felsen am Rande der Straße glänzen vom gestrigen Regen, die Bäche rauschen kräftiger als sonst.

Dort, wo die Straße ansteigt, beginnt der Motor zu keuchen, er klingt mit jedem Meter gehetzter, als peitsche ihn jemand den Hang hinauf. Doch die behandschuhten Hände ruhen kühl auf dem Steuer, das Auge ist streng nach vorne gerichtet, so spielt sie am Klavier ihre Bach-Fugen. Aus ihrer hoch gesteckten Frisur haben sich ein paar Härchen befreit, da ist im Nacken ein Muttermal, das Luca noch nie bemerkt hat.

Draußen ist es dämmrig geworden. Feuchtigkeit rinnt über die Felsen, Nebelfetzen hängen in den Tannästen. Es macht Luca kribblig, auf der Talseite in die Abgründe zu schauen, das Auge hält sich an den Ästen fest, verliert dann den Halt, stürzt ab. Bergbäche zwingen die Straße zu weit ausholenden Schleifen. Der Motor beginnt zu stottern.

«Da stimmt etwas nicht.»

Die Sciora stellt es sachlich fest, hält dann den Wagen an auf dem Ponte oscuro, der dunklen Brücke, auf der einzigen Ausweichstelle, wo die zwei Brücken mit ihren Säulenbogen sich im Winkel auf einem Felsvorsprung treffen, die Straße zweigt hier ab ins Vergeletto.

Sie öffnet die Motorhaube, schraubt einen Deckel ab, weicht vor der fauchenden Dampfsäule zurück. Warten müsse man, bis sich der Motor abkühle. Wasser? Leider nicht dabei.

Luca steigt aus, inspiziert die Brücke, man erzählt sich Schlimmes von diesem Ort.

«Die Geschichte vom Barnum, kennst du sie?», fragt

Maria. «Die Moritat vom Geisterauto, das eigentlich nur ein gezeichnetes Auto war, noch schwach zu erkennen auf dem alten Plakat des amerikanischen Zirkus Barnum, der vor Jahren im Tal gastiert hat. Seither erscheint dieses Auto, ja genau dieses!, nachts auf der Straße und bedroht den einsamen Automobilisten, am andern Morgen findet man ihn tot im Abgrund …»

Ein großes Auto löst sich aus dem Nebel.

«Madonna», entfährt es Maria. Doch es ist nicht Barnum. Nur der Lieferwagen des Metzgers aus Intragna.

Der Fahrer hat im Scheinwerferlicht die Frau bemerkt, wundert sich über die Handschuhe, das ärmellose Kleid, die dampfende Wassersäule. Er hält an, schiebt hinten die eiserne Rolltür hoch, im Innern hängende Tierseiten, Wurstketten an Haken. Er bringt einen Wasserkessel.

Die Sciora kann weiterfahren: Schwärze, Felsen, wallender Nebel.

14

Die Angst vor der Zukunft, die bisher mit den Schlagzeilen der Zeitungen in der Stadt zurückblieb, wird in der Barca allgegenwärtig wie der graue, drückende Himmel.

Ich kann so nicht leben. Das Klima ist arktisch, die Menschen treiben vereinzelt wie Eisberge. Ich möchte mich mit jemandem zusammentun, ihn beleben, ihn lieben, bis seine Kruste schmilzt, sein Herz möchte ich pochen hören, damit auch ich meinen Herzschlag wieder spüren kann: Wir leben, wir leben.

Als Aline Rosenbaum einmal im reifen Alter gefragt wird, ob sie viel geliebt habe, wird ihre Antwort lauten: Außer Rosenbaum habe sie eigentlich nur einen Mann bis zur Unerträglichkeit des Gedankens, ihn zu verlieren, geliebt – Ignazio Silone.

Ignazio Silone, damals noch bekannt unter seinem bürgerlichen Namen Secondino Tranquilli, begegnet sie zum ersten Mal zu Beginn der dreißiger Jahre in Zürich. Sie sucht für ihren Neffen einen Italienischlehrer. Paolo Rossi, der ihn früher unterrichtet hat, lebt nun auch im Winter im Tessin. Ein Freund Wladimirs empfiehlt einen Emigranten, der sich nach einer Kur in Davos mühsam in

Zürich durchschlage, ein geheimnisumwitterter Mensch, Schriftsteller und Kommunist.

Sie schreibt diesem Italienischlehrer, der auch von der Berlitz-Sprachschule empfohlen wird, er möge sich, falls ihm ein weiterer Auftrag nicht unangenehm sei, an der Stadelhoferstraße 26 melden.

Das Treffen ist für zehn Uhr verabredet.

Es hat in der Frühe geschneit, jeder Schritt hinterlässt an diesem schneehellen Tag seine Spur. Im ersten Stock der Wohnung ist ein Spion eingelassen, von dem aus man das schmiedeeiserne Tor überwachen kann, in dieser unruhigen Zeit eine Notwendigkeit.

Sie ist erstaunt über die unbegründete Unruhe, mit der sie diesen Menschen erwartet. Dort – das könnte er sein, er trägt einen Hut, die Krempe nach oben geschlagen, nur die markante Nase ist sichtbar. Am Tor hält er inne und betrachtet, wohl ein bisschen überrascht, die Messingtafel der Rechtsanwaltskanzlei. In der Kanzlei weist ihn die Sekretärin in den ersten Stock.

In jeder Einzelheit wird Aline Rosenbaum diese Begegnung im Gedächtnis bleiben: Das Hausmädchen öffnet und führt den Gast ins Besucherzimmer, die Hausherrin erscheint, begrüßt ihn mit dieser konventionellen Freundlichkeit, die sie sich im Umgang mit Fremden anerzogen hat.

Er erwidert ihr Lächeln nicht. Sein Gesicht ist harmonisch, die Figur stattlich, die Schülerinnen an der Berlitz-Schule haben ihn als schönen Mann beschrieben: Ein Südländer mit olivfarbener Haut, stolzem Auftreten, sehnsuchtsvollem Blick. Doch der Händedruck des *Berufsrevolutionärs* ist verwirrend, zu weich, zu schlaff. Er setzt sich auf ihre Bitte hin. Blickt verlegen auf seine Hände, hüstelt. Aline wird gegen ihre Gewohnheit von seiner Unsicherheit angesteckt und wiederholt die Frage, die schon in dem kleinen Brief stand:

«Sie sind Schriftsteller. Ist Ihnen das Stundengeben nicht eine zu geringe Tätigkeit?»

Nein, er müsse ja im Exil Geld verdienen.

Ob er sonst keine bezahlte Beschäftigung habe.

Er ordne in der Genossenschaftsbuchhandlung am Stauffacher Bücher ein. Er hüstelt wieder.

Die Augen blicken müde, auch die rötlichen Flecken auf den Wangen sehen ungesund aus.

«Man sagt, Sie haben in einem Sanatorium in Davos eine Kur gemacht?»

«Ja, aber keine offene Tuberkulose.»

Er blickt sich im Raum um. Die Büchergestelle, die Vorhänge, die Bilder, alles weist auf Reichtum hin. Er nimmt sich vor, den unverschämten Betrag von drei Franken für die Stunde zu verlangen.

«Wir haben das Finanzielle noch nicht geregelt», sagt Frau Rosenbaum, «fünf Franken für die Stunde. Ist das in Ordnung?»

«Ja, danke.»

Der Neffe, zwölf Jahre alt, wird hereingerufen, es entspinnt sich ein erstes Gespräch zwischen Lehrer und Schüler, und man kommt überein, dass man am nächsten Tag mit den Lektionen beginnt.

Die Hausfrau klingelt, lässt Tee servieren.

Sie lehnt sich zurück und bittet den Gast, etwas von seiner schriftstellerischen Arbeit zu erzählen. Er zögert mit der Antwort. Das großbürgerliche Haus mit Dienstmädchen, Silberkannen, wertvollen Möbeln schüchtert ihn ein, erinnert ihn unangenehm an gewisse faschistische Herrenhäuser in Italien.

Er habe in Davos begonnen, ein Buch über die Zustände in seiner Heimat zu schreiben. Nein, keinen Tatsachenbericht. Eher einen Roman, der die Mentalität seiner Landsleute in den Abruzzen widerspiegle, das Leiden der armen Pächter und Landarbeiter unter dem Zugriff des Faschismus.

Aline Rosenbaum neigt sich vor, ihr nichts sagendes Lächeln ist einem interessierten Ausdruck gewichen, sie erkundigt sich nach den politischen Veränderungen in Italien, versucht sie zu vergleichen mit dem, was sich in Deutschland abzuzeichnen beginnt oder zumindest mit dem, was im Hause Rosenbaum von den ersten Emigranten berichtet wird.

Am nächsten Tag nimmt Aline teil an der Italienischstunde, der neue Lehrer hat Mühe, auf den Zwölfjährigen einzugehen, behandelt ihn steif wie einen kleinen Herrn. Rossi hatte da einen lockerern Ton gefunden und sich nicht gescheut, im Unterricht einen Scherz einfließen zu lassen. Nun, das wird sich noch ergeben, hofft Aline. Klingelt nach Tee. Es liegt ihr daran, das Gespäch von gestern Nachmittag fortzusetzen. Sie schickt das Mädchen fort, gießt dem Gast Tee ein, bietet Kuchen an.

Das auf Hochglanz geputzte Silber schimmert.

«Ein oder zwei Stück Zucker?»

«Keinen, danke.»

Silone fühlt sich von diesem bürgerlichen Ritual der Teestunde verunsichert, ja empört, er nimmt sich vor, in der

Reserve zu bleiben, sich bald unter dem Vorwand der Zeitknappheit zu verabschieden.

Doch da erkundigt sich die Gastgeberin nach seiner Familie. Ob er auch Geschwister habe?

Die wachen Augen dieser Frau signalisieren mehr als Interesse, da ist eine Bereitschaft, sich auf seine Geschichte einzulassen.

Er beginnt mit schleppender Stimme, in gedämpftem Tonfall zu erzählen, immer wieder unterbrochen von trockenen Hustenstößen, es lebe nur noch sein jüngster Bruder. Der Vater sei früh gestorben. Fünf Geschwister, auch die Mutter, habe das Erdbeben in der Provinz Aquila im Jahr 1915 verschüttet.

«Das ist ja unfassbar», stammelt sie. «Wie alt waren Sie damals?»

«Fünfzehn. Ich bin 1900 geboren.»

«Und Ihr Bruder lebt auch in Zürich?»

Er zuckt zusammen, als habe sie eine Wunde berührt. Schildert dann, ohne sie anzublicken, die tragischen Ereignisse: Vor zwei Jahren habe die faschistische Polizei seinen Bruder Romolo verhaftet und beinahe totgeprügelt.

«Ja, er ist noch immer im Gefängnis, sein Gesundheitszustand ist kritisch, innere Verletzungen als Folge der Misshandlungen!»

Der Grund seiner Verhaftung? Man habe ihn irrtümlich für ein Mitglied der illegalen KPI gehalten. «Da lag vielleicht eine Verwechslung mit meiner Person vor.»

Er schweigt bekümmert, seine Augenlider zucken.

«Und Sie sind, wie man sagt, ein Kommunist harter Prägung?», wagt sie zu fragen.

Er blickt sie an, erkennt ihren Ernst und diese spröde Naivität, der er in der Schweiz oft begegnet. Zum ersten Mal lächelt er ein bisschen.

«Ich will versuchen, Ihnen meinen Weg zu erklären», sagt er. «Glauben Sie mir, das Schlimmste am Erdbeben, das war nicht die Naturkatastrophe, das waren die korrupten Politiker, die alle Hilfsgelder für den Wiederaufbau in die eigene Tasche gesteckt haben! Schon als Kind habe ich erkennen müssen, wie die Padroni die arme Bevölkerung hintergangen haben. Nur ein Priester ist in dieser schlimmen Zeit den Ärmsten beigestanden im Sinne Christi: ‹Kommt alle zu mir, die ihr hungert und dürstet nach Gerechtigkeit.› Mit diesem Vorbild im Kopf habe ich mich als Jugendlicher solidarisch erklärt mit den Landarbeitern, den so genannten Cafori. Mit siebzehn habe ich angefangen zu schreiben, Zeitungsartikel verfasst für *Avanti*. Mit neunzehn bin ich aus der katholischen Kirche ausgetreten, weil ich sehen musste, dass sie die Armen verriet. Anstatt den aufkommenden Faschismus zu bekämpfen, wurden endlose Diskussionen geführt über die schickliche Rocklänge der Frauenkleider, ob die Wade bedeckt werden muss oder nicht. 1921 habe ich als Vertreter der sozialistischen Jugend am Gründungskongress der Kommunistischen Partei Italiens teilgenommen. Parteizeitungen redigiert, bis die Druckereien angezündet wurden von den Faschisten. 1926, als nach dem Verbot die Partei unter Togliatti in den Untergrund ging, habe ich das Sekretariat der illegalen ausländischen KPI übernommen, am Komintern in Moskau teilgenommen …»

Er hält inne. Wird sich bewusst, dass er dieser unbedarften Bürgersfrau Dinge erzählt, die nicht in ihren gut frisierten Kopf passen. Er verschweigt, dass ihn seit einiger Zeit Zweifel heimsuchen an der Partei. Dass er vielleicht bald ein Christ sein wird ohne Kirche, ein Marxist ohne Partei.

Als er gegangen ist, reißt Aline das Fenster auf, Schneebrocken fallen von den kahlen Ästen des Kastanienbaums.

Sie bleibt eine Weile im kalten Luftstrom stehen. Doch ihre Beklemmung will nicht weichen. Der Schatten, der eben auf sie gefallen ist, wird von jetzt an ihre innere Landschaft verdunkeln, die Jahre der Leichtigkeit sind vorbei. Es gibt keine Einzelschicksale mehr, alle zappeln sie im Netz der Vogelsteller, über der Insel des Baumwollhofs ziehen dunkle Wolken auf.

In einem der nächsten Gespräche mit Silone kommt sie auf menschliche Werte zu sprechen. Ob der Kommunismus auch die menschlichen Werte hochhalte?

«Mein Kommunismus schon. Ein Mensch, der sozial denkt, der die Schwachen vor Ausbeutung bewahren will, ist auch in anderer Beziehung menschlich», antwortet er.

Sie bemerkt wieder das Zucken seiner Lider. Seine Gesten, langsam und genau, verraten den bedächtigen Menschen.

Sie lehnt sich zurück. Ihre Hand spielt mit dem rohseidenen Vorhang, während sie provozierend sagt: «Für mich ist einer der obersten Werte die Freiheit. Freiheit des Denkens, Freiheit des Handelns. Mir scheint jedoch, Ideologien pressen Menschen in eine Zwangsjacke.»

Er nickt vage.

Hört dann ihre Stimme wie von fern, während sich vor seinem inneren Auge wieder die Szenen aufbauen vom

Komintern in Moskau. Er, der Delegierte der Kommunistischen Partei Italiens, soll auf Wunsch Stalins zusammen mit Togliatti eine Resolution gegen Trotzki
unterschreiben.

«Was wird Trotzki zur Last gelegt?», erkundigt sich Silone.

«Er hat ein konterrevolutionäres Schreiben an das Politbüro gerichtet», antwortet als Vorsitzender der deutsche
Kommunistenführer Ernst Thälmann.

Sie wollten gerne das Dokument einsehen, über das hier
geurteilt werde, sagen Togliatti und Silone.

«Wir kennen das Dokument auch nicht», sagt Thälmann
ohne mit der Wimper zu zucken.

«Wie sollen wir etwas verdammen, das wir nicht kennen?»,
entgegnet der damals 27-jährige Silone mit der Naivität
eines jungen Widerstandskämpfers aus der Provinz.

An diesem Punkt greift Stalin in die Diskussion ein, das
Politbüro der Partei habe es nicht für zweckmäßig erach-
tet, das Dokument zu übersetzen und an die Delegierten
zu verteilen. Es enthalte geheime Informationen.

Thälmann fragt, ob ihm Stalins Erklärung genüge.

«Ich bestreite nicht, dass das Politbüro der Kommunistischen Partei der Sowjetunion das Recht hat, jedes belie-
bige Dokument geheim zu halten», sagt Silone. «Aber ich
verstehe nicht, dass wir aufgefordert werden können, ein
uns unbekanntes Dokument zu verurteilen.»

Empörtes Kopfschütteln der Umstehenden. Silone wird
später in seinem Buch *Notausgang* darüber berichten: *Die
Empörung gegen mich und gegen Togliatti kannte keine Grenzen.*

Während der nächsten Sitzungen sitzt Trotzki unter den
Delegierten, in der Pause spricht er die beiden Italiener

an, deren Sprache er fließend beherrscht. Er äußert keine Klagen, das Gespräch ist nichts sagend, aber Silone fängt seinen Blick auf, der ihm wie ein Hilfeschrei vorkommt: Trotzki, der volkstümliche Oberbefehlshaber der Roten Armee im Bürgerkrieg und der gefeierte Retter von Petrograd, ein alter Löwe, den man in eine Falle gelockt hat, um ihn zu vernichten.

In der Annahme, sie steckten mit Trotzki unter einer Decke, werden Togliatti und Silone beschattet, und es wird ihnen eine frühzeitige Abreise empfohlen. Auf der Rückfahrt machen sie in Berlin Halt. Erstaunt entnehmen sie dort der Parteizeitung, die Kommunistische Internationale habe wegen einer Schrift scharfen Tadel gegen Trotzki ausgesprochen. Silone begibt sich zur Zentrale der KPD und verlangt von Thälmann eine Erklärung.

«Hier stimmt etwas nicht», sagte er, «du weißt, dass keine Abstimmung über die Resolution stattgefunden hat.»

«Im Notfall kann das Exekutivkomitee und sein Vorsitzender jeden beliebigen Entschluss im Namen der Internationale fassen», gibt Thälmann zur Antwort. Die kommunistischen Parteien Amerikas, Ungarns und der Tschechoslowakei hätten Trotzkis Schreiben ebenfalls mit scharfen Worten verurteilt. Und er schließt mit finsterem Ernst: *Lerne von ihnen, was kommunistische Disziplin bedeutet.*

Nach der Rückkehr aus Moskau war Silone voller Unruhe, nächtelang fand er keinen Schlaf. Fragen quälten ihn: Ist dies das wahre Gesicht des Kommunismus? Dienen Menschen, die ihr Leben aufs Spiel setzen oder im Gefängnis schmachten, diesem Ideal?

1929 bittet Silone Togliatti aus Gesundheitsgründen um einen befristeten Urlaub. Nach der Rückkehr aus Davos erklärt er, keine leitenden Funktionen mehr übernehmen zu wollen, er bleibe jedoch in der Partei, schreibe weiterhin in den Zeitungen des Untergrunds.

Aus der Partei auszutreten, die ihm seit seiner Jugend mehr als eine Familie war, erscheint ihm als Katastrophe. Viele seiner Freunde können seine Zweifel nicht verstehen, auch mit seiner langjährigen Parteifreundin und Gefährtin Gabriella Seidenfeld, einer aus Ungarn stammenden Jüdin, kommt es zu Auseinandersetzungen und schließlich zur Trennung.

Er, der einst geglaubt hat, im Kommunismus eine Symbiose von christlichen Werten und sozialer Haltung zu finden, nimmt sich vor, auf eine Reform der Partei hinzuwirken. Da nach oben nichts zu verändern ist, muss mit einer Neubesinnung in der kleinsten Zelle, im lokalen Rahmen, begonnen werden: Am Abend besucht Silone eine italienische Parteiversammlung.

Unter den Versammelten kaum Arbeiter. Da sitzen hinter den Tischen kleine Händler aus der Langstraße, Gewerbetreibende der italienischen Kolonie, viele von ihnen herausgeputzt mit Krawatte und der Uhrkette über dem Bauch, das Haar mit Brillantine aus der Stirn gekämmt, vor sich ein Glas Wein oder einem Humpen Bier, die Zigarre im Mundwinkel.

Ihre kleinbürgerliche Interesselosigkeit erschreckt den Genossen Silone.

Der Sekretär, ein zappeliges kleines Männchen, ersteigt das Rednerpult. Erwähnt Mussolinis Besuch vor Jahren in Zürich. Der Duce habe damals eine Rede zum Ersten

Mai gehalten und den Linken zu verstehen gegeben, man müsse mit dem Bürgertum Schluss machen.

Und nun? Hat sich die Windfahne gedreht! Die Partei ist in Italien verboten, die Feier zum Ersten Mai abgeschafft! In Zürich schuldet Mussolini noch die Miete. In Genf hat er als Handlanger gearbeitet …

Ein junger Mann löst den Redner ab und prahlt damit, in seiner Nachbarschaft werde er alle Leute mit dem Faschistenabzeichen am Revers nach Einbruch der Dunkelheit verprügeln.

Silone stellt fest: Ressentiments ersetzen nicht grundsätzliche Diskussionen. Da ist keine geistige Regsamkeit, kein Mut, kein Ziel. Lässt sich mit diesem Kleinbürgergeist die Partei erneuern?

Die Gespräche mit Aline Rosenbaum sind für Silone wichtiger geworden als alle anderen Begegnungen. Zwar versteht diese Frau nichts von marxistischer Theorie, aber sie hat einen unverstellten Zugang zu dem, was er menschliche Werte nennt. In ihrem Gedankenaustausch bleibt er auf Distanz. Er verrät ihr nicht, dass er sich mit der Überlegung quält, die Partei zu verlassen.

So begleitet sie, ohne es zu wissen, seine innere Auseinandersetzung.

«Wie bleibt man seinen Idealen treu?», fragt er.

«Man kann nur sich selbst treu bleiben. Indem man auf seine innere Wahrheit achtet», erwidert sie. «Der Mensch muss neben dem Denken auch das Empfinden, das Ahnen, das Fühlen entwickeln, erst wenn diese Fähigkeiten im Gleichgewicht sind, ist er seelisch gesund.»

Während einer Zusammenkunft der marxistischen Studentenzelle in Zürich kommt Silone auf die Menschlichkeit als Prinzip zu reden, ohne diese Menschlichkeit habe der Marxismus keine Seele, er verkomme zum Apparat.

Der Obmann, ein geschniegelter Student, fragt höhnisch: «Genosse Silone, was ist die Seele? Ich jedenfalls habe keine. Sie wird wohl eine Erfindung der vielen Seelenärzte sein, die neuerdings an allen Ecken in Zürich das Innenleben der Reichen sezieren?»

Man lacht schallend.

Ein finster aussehender, vierschrötiger Mensch erhebt sich. Gibt sich als leitender Funktionär zu erkennen. Er habe es aus erster Hand, der Schönredner Silone stehe im Komplott mit drei aus der Partei ausgestoßenen Trotzkisten.

«Bei allem Respekt vor Trotzki, aber ich bin kein Trotzkist», sagt Silone ruhig.

Kurze Zeit später verlangt Togliatti ein geheimes Treffen in Zürich und kommt auf die über Silone kursierenden Gerüchte zurück. Er fordert den Genossen auf, unverzüglich eine Erklärung zu unterschreiben, in der er die drei Abweichler verdammt und sich zur Disziplin gegenüber Partei und Internationale verpflichtet.

Das Papier habe er schon vorbereitet.

«Du weißt, dass dies nicht meiner Überzeugung entspricht», antwortet Silone.

«Ich weiß», sagt Togliatti. «Aber man kann die Partei auch dadurch ehren, dass man sich um ihretwillen einem Zwang fügt.»

15

In ihren Gesprächen im Baumwollhof war die steife, ja
gestelzte Art, sich auszudrücken, von Silone gewichen.
Aline stellte fest, er erzähle ungemein lebendig, verstehe
seine Zuhörerin weit wegzutragen an ihr unbekannte
Orte. Auf den Feldern der Marcia erlebe sie die Trocken-
heit, die Missernte, erfahre die Demütigung der Landarbeiter. Silones trockener Humor erhelle mit wenigen
Worten wie durch ein Schlaglicht eine sonst undurch-
sichtige Situation.

Gerieten sie in Streit, dann zogen sich die Gespräche
dahin bis tief in die Nacht. *Ich urteilte ohne jede politische
Vorbildung, einfach aus dem Verstand heraus, ließ mich aber nie
verblüffen oder aufs Eis führen.*

Außerhalb der Begegnungen schrieben sie sich kleine
Briefe mit Mitteilungen: *Die vielen zwischen uns fliegenden,
schwirrenden Worte.*

Es entsteht eine Art von Vertrautheit, die Aline bisher
mit keinem Mann gekannt hat. Was sie mit Helbig erlebt
hat, ist, gemessen an dieser Beziehung, nur Vorstufe, hier
ist eine geistige Verbindung, die immer mehr an erotischer Kraft gewinnt. Zwar bleibt Silone reserviert,
seine Disziplin, bedingt durch seine Hingabe für die
politische Sache, nimmt manchmal fast religiösen Cha-
rakter an.

Dieser schöne Mann hat etwas von einem Priester, eine Feststellung, die auch in der Cooperativa der linken Italiener in Zürich da und dort zu hören ist. *Er sperrte sich eigentlich immer gegen seine Liebe zu mir, (…) empfand mich immer als Bourgeoise, als Feindin.*

An einem Morgen erschien Silone nicht wie üblich zur Italienischstunde. Am Vorabend hatten sie stundenlang miteinander um Begriffe gefochten, auch war die Rede auf persönliche Gefühle gekommen: Aline gehöre nicht in seine Welt, in sein Schicksal, hatte er mit Bestimmtheit gesagt.

Und nun war der sonst Pünktliche zu seinem Unterricht nicht eingetroffen.

Von Unruhe erfüllt, stellte sich Aline ans Fenster, draußen hasteten Menschen zur Arbeit in die Büros und Geschäfte, der Vorortszug hatte sie eben an der Station Olivenbaum ausgespuckt. Dann war die Straße wieder wie reingefegt und menschenleer.

Doch nun hörte sie Ro auf und ab gehen. Er stieß die Flügeltür auf, setzte seinen Parcours im Salon fort, der zu diesem Zweck beinahe unmöbiliert war, nur ein roter Orientteppich lag dort: kreative Leere.

Der Anwalt hielt ein Blatt in der Hand und las. Seit Wochen beschäftigte er sich mit dem Giftmordprozess Riedel-Guala, einem seiner spektakulärsten Fälle.

Aline hatte ihn gebeten, die Verteidigung der in erster Instanz schuldig gesprochenen Antonia Guala nicht zu übernehmen, sie halte die Sache für riskant, auch bedeute der Auftrag, dass er mehr als sonst von zu Hause weg sein werde.

Rosenbaum hatte ihre Bedenken in den Wind geschlagen: Die Herausforderung reize ihn. Wende sich das Urteil zu seinen Gunsten, woran er nicht zweifle, bedeute dieser Fall für ihn Ruhm und Erfolg.

Er ging auf und ab, memorierte die Fakten der Justizmorde und Giftmordprozesse im Laufe der Geschichte. Rastlos, ein freiwillig Gefangener des sensationellsten Prozesses jenes Jahrzehnts. Ab und auf, auf und ab, ganz in seine Welt vertieft, ohne seine Ehefrau am Fenster zu beachten.

In ihrer beider Leben gab es seit Monaten immer weniger Berührungsflächen. *Er hatte keine Zeit mehr für nichts, was mich interessierte: Musik, Theater, echte Beziehungen.*

Da klingelte das Telefon.

Victor Schlatter, der Silone in seinem Haus ein einfaches Zimmer überlassen hatte, berichtete, der Emigrant habe in der Nacht einen Blutsturz erlitten und liege im Bett, ob Frau Rosenbaum kommen könne. Sie sprang in ihren Wagen und fuhr hin. Er lag still und entspannt da, lächelte fast verschämt, hielt lange, als wolle er Abbitte tun, ihre Hand. Er glaubte wohl, seine letzte Stunde sei gekommen, denn die Ärzte in Davos hatten ihn gewarnt, er werde nur noch kurze Zeit zu leben haben.

Dann erschienen die Männer vom Rettungsdienst und schafften ihn, auf Verlangen von Dr. Katzenstein, ins Bürgerspital der Stadt Zürich.

Langsam genas er dort.

Er müsse sich aber noch eine Weile schonen, hieß es, und die Rosenbaums anerboten sich, ihn wenigstens für einen Monat in ihrem Gästezimmer aufzunehmen. Er zögerte, aber Aline zählte auf, wer dort schon gewohnt habe: der französische Emigrant Samson, der polnische Jude Bryks, Toller und und und.

So wohnte er für kurze Zeit in Alines nächster Nähe. Während Rosenbaum mit seiner Kanzlei immer größeren Ruhm erwarb, lag im ersten Stock ein gut aussehender Italiener, und seine Frau bot alles ihr Verfügbare auf, um ihm neue Lebensfreude zu geben: Sie belebt ihn und beliebt ihn, wie Dr. Katzenstein einmal ironisch bemerkt hat.

Es war eine Beziehung, tiefer als alle, die ihr vorausgegangen waren.

Der Genesende schien wenig Raum einzunehmen, lag schmal in seinem Bett, und doch wurden die Mitbewohner, ohne es zu wollen, von den Schatten seiner Geschichte gestreift. Besucher kamen aus den Kreisen der Untergetauchten, sie hatten keine Namen oder solche, die sie den Rosenbaums lieber nicht nennen wollten.

Einmal huschte eine kleine, hübsche Rothaarige durch den Flur, sie nickte flüchtig, schlüpfte ins Krankenzimmer, nebenan hörte Aline verzweifeltes Weinen und schnelles, erregtes Sprechen.

«Wer war das?», fragte sie später Silone.

«Eine Partisanin. Es hat sie nach Zürich verschlagen.»

«Suchte sie dich?»

«Vielleicht.»

Plötzlich trieb der Baumwollhof mitten im Weltgeschehen. Öffnete Aline eine Zeitung, so schienen die Schlagzeilen das Unheil zu bestätigen. *Der Hass auf die Unterdrücker war hellwach in mir.* Silone hatte sie, ohne es zu beabsichtigen, aus ihrem Inseldasein geholt.

Dr. Katzenstein plädierte für Höhenluft. Also kam Silone im Sommer 1931 in die Barca.

Er könne nur kurz bleiben, besuche anschließend im Tessin noch eine proletarische Kooperative, es handle sich um Kontakte beruflicher und persönlicher Art. Wie immer wurde er nicht deutlicher.

In diesen wenigen Tagen seiner ersten Zeit in der Barca ordnete er alles seiner Schreibarbeit unter.

«Ach, er ist zu bescheiden, will nichts essen», hatte Maria geklagt, «alles, was er morgens zu sich nimmt, ist eine Tasse brandschwarzer Kaffee und ein Stück trockenes Brot!»

Nach diesem Frühstück verzog er sich mit seinem Manuskript *Fontamara* in die Bibliothek, er ging weder ins Dorf noch ließ er sich zu längeren Spaziergängen überreden. Er schrieb, mit allem Aufwand seines Willens, der Müdigkeit zum Trotz. Das Schreiben als Gehäuse, in dem man wohnt.

Aline wird es von Silone lernen: Dort zu Hause zu sein, wo die Wörter sind.

Im Herbst 1931 zeigte sich Silone kaum mehr im Baumwollhof, die Italienischstunden hatte er abgebrochen, er sei anderweitig beansprucht, schreibe an seinem Buch. Erst im Rückblick wurde es seinen Freunden klar: Silones endgültiger Bruch mit der Partei musste sich im Sommer dieses Jahres, während seines Aufenthaltes in der Barca und der Zeit danach vollzogen haben, eine überaus schmerzhafte Loslösung, über die er sich ausschwieg. Der Herbst war auch im Baumwollhof voller Spannung gewesen: Rosenbaum war mit dem Giftmordprozess

Riedel-Guala beschäftigt. Das Schlussplädoyer, Mitte Dezember 1931 in Bern vorgetragen, dauerte sechs Stunden, zwei davon widmete Rosenbaum allein den berühmten Giftmordprozessen der Geschichte. Er warnte vor einem Justizirrtum. Die Zuverlässigkeit der Justiz sei eine *conditio sine qua non* des Gemeinschaftslebens. Aline hatte an den Verhandlungen teilgenommen. Als der Prozess mit dem Freispruch der beiden Gefangenen endete, regnete es Glückwünsche: *Tout Zurich war da, ging bei uns ein und aus.*

Gleich nach Weihnachten hatten sich die Rosenbaums nach St. Moritz zurückgezogen, dort hoffte Aline auf Ruhe und auf eine Rückkehr der lang vermissten Zweisamkeit. Doch Rosenbaum wurde auch im Engadin erkannt *als Erzengel der Gerechtigkeit,* und während Aline in ihrer Unterkunft am Rande des Ortes blieb, hielt Wladimir im Grandhotel im Kreis der Verehrerinnen und Verehrer Hof.

Aline hatte sich damals mit Silones Weihnachtsgeschenk getröstet, einem eigens für sie geschriebenen Gedicht, datiert vom 23. Dezember 1931, einem witzigen Lob auf die Barca und ihre Bewohner.

Nun, mehr als ein halbes Jahr später, im Sommer 1932, hatte sich die Barca wieder mit Gästen gefüllt.

Einige kamen in Begleitung von Rosenbaum nur für das Wochenende. Max Bill und die Architekten des Büros *Neues Bauen* in Zürich waren darunter. In der neuartigen Werkbund-Siedlung Neubühl hatten die Architekten erstmals in Zürich Flachdächer gebaut, dazu brauchte es Sonderbewilligungen der Baubehörden. Rosenbaum war ihnen dabei juristisch beigestanden und hatte darauf das Präsidium der gemeinnützigen Baugenossenschaft übernommen.

Mit den Architekten war auch der im Neubühl wohnende Zürcher Schriftsteller Rudolf Jakob Humm eingetroffen. Humm, ein überlanger, schlaksiger Mensch mit weichen, verschwommenen Augen hinter der runden Brille, kam im Garten auf die Hausherrin zu und fragte nach Silone: Man habe vereinbart, in der Barca über die gemeinsame neue Zeitung *information* zu sprechen, deren erste Nummer eben erst in diesem Sommer 32 erschienen war, von Max Bill graphisch gestaltet.

Auch sie erwarte Silone jeden Tag, sagte Aline. Nun, Ende August, sei er immer noch nicht für die geplanten Sommerferien erschienen!

Sie verriet nicht, dass sie unter all den wechselnden Gesichtern der Gäste dieses eine vermisste, ja, sie entbehrte Silone förmlich, es war ihr, als habe sie seine Abwesenheit wie eine gefährliche Stelle zu überqueren.

«Er wird noch kommen, gewiss», tröstete Humm ungeschickt und versuchte, die kläffenden Dackel Mutzi und Dodo von seinen Hosenbeinen abzuschütteln. Offensichtlich fanden die Hunde diese langen, flattrig bekleideten Stangen nicht geheuer.

Ein Gewitterregen rauschte nieder.

Die Gäste waren vom Garten heraufgeflüchtet und setzten sich mit Rosenbaum und Aline ins Prunkzimmer der Barca. Die edlen Hölzer des Parketts, die man erst voriges Jahr durch Zimmerleute aus Hamburg hatte ausbessern lassen, schimmerten seidig im Lampenlicht. Die

Neubühl-Architekten, sonst eher der Moderne zugeneigt, bewunderten den offenen Kamin, die Intarsien, die Medaillons, die den Gründer der Barca mit seiner Frau zeigten.

Humm hatte in Zürich von Silone die merkwürdige Entstehungsgeschichte des Palazzo erfahren, auch hatte er ihm das für Aline geschriebene Gedicht gezeigt. Nun fragte Humm die Hausherrin, ob sie nichts dagegen hätte, diesen Text mit dem Titel *La Genèse*, Die Genesis, in der Runde vorzulesen?

«Ja, bitte, ich kann das Gedicht immer wieder hören», rief Rosenbaum.

So kam es, dass Aline vor der Geräuschkulisse des Regens von der Sintflut vorlas, die alles zudeckte: den Himalaja und den Zürichberg. Im Café *Odeon* blieben während der Sintflut alle Tische frei. Für jene, die den französischen Text nicht verstanden, fasste Aline zusammen: Ein gewisser Remonda spekuliert an der Pariser Börse mit verschollenen Schiffen, auch die Arche Noah ist darunter. Sie fällt Remonda zu, treibt vom Meer über die Mündung des Po zum Langensee und von dort über die Maggia und das Flüsschen Isorno nach Comologno, strandet, nun schlicht La Barca genannt, auf dem Rücken eines Hügels.

Aus Noahs Zeit stammt noch die Terza, niemand weiß, wann sie geboren ist, wie lange sie leben wird. Von den Katzen in der Arche sind Henri und Garage übrig geblieben. Von allen Hunden nur Mutzi und Dodo. Von den Vögeln bloß der Papagei des Herrn Degiorgi.

Aber der Geist der Arche, der vorsintflutliche Geist Noahs, der Geist des menschlichen Optimismus, der ist in der Barca geblieben. Wenn niemand mehr vom Geist Locarnos sprechen wird – die 1925 ausgehandelten Locarno-Verträge hatten eine internationale Entspannung herbeigeführt –, wird der Geist von Comologno lebendig bleiben!

Er wird die Sintflut überleben. Er wird Menschen aller Rassen und Nationen anziehen, Spannungen aufheben zwischen Chinesen und Russen, Italienern und Deutschen, Juden und Katholiken, zwischen den Tessinern und Bernern. Denn die Arche wurde vor Babel gebaut. Vor der Spaltung der Nationen. Die Arche als Anfang.

Man applaudierte. Bedauerte, Silone nicht persönlich dabei zu haben an diesem Abend. Der Padrone entkorkte eine weitere Flasche Rotwein.

Der Regen hatte aufgehört, Aline ging auf die Terrasse hinaus, sog die vom Gewitter gereinigte Luft ein. Das Tal lag in Dunkelheit, über den Bergkämmen erschien der Himmel wie ein Strom von hellerer Farbe. Frostgrün wie das Eismeer. Wir sitzen hier beisammen, dachte sie, die Bedrohung von außen hat uns zusammengetrieben, doch wir finden beieinander keine Wärme. Was weiß schon der eine vom andern?

Am nächsten Tag, als habe ihn sein Gedicht herbeigerufen, kam Silone mit dem Postwagen in Comologno an. Er bleibe diesmal länger, drei Wochen ungefähr, sagte er zu Aline. Dann fahre er nochmals zur Landkommune oberhalb des Lago Maggiore.

Er brachte sein nun beinahe fertig gestelltes Manuskript *Fontamara* mit.

In der Lungenklinik in Davos, gehetzt von Krankheit und Verfolgung, hatte er sich, beinah hastig, aus Wörtern sein

Dorf in den Abruzzen aufgebaut, das *die Quintessenz seines Wesens und seiner Heimat enthalte und es ihm möglich mache, wenigstens unter den Seinen zu sterben.*

Später hatte er diesem Anfang in mehreren Etappen Neues hinzugefügt, es galt nun, die verschiedenen Teile miteinander zu verbinden und letzte Korrekturen anzubringen.

Der Verleger Oprecht in Zürich, Verfechter antifaschistischer Literatur, wolle den Roman im nächsten Jahr in deutscher Sprache herausbringen, vorausgesetzt, es fänden sich Gönner für einen Druckkostenzuschuss. Die Übersetzung? Besorge die ursprünglich aus Italien stammende Frau von Dr. Katzenstein, Nettie Katzenstein-Sutro.

Zu Wochenbeginn waren Humm und die Neubühl-Leute mit Rosenbaum nach Zürich zurückgefahren und es wurde ruhiger in der Barca.

Silone arbeitete nach dem spartanischen Frühstück in der Bibliothek. Das Fenster öffnet sich dort gegen den Steilhang, gibt den Blick frei auf kleine, bescheidene Häuser und Stallungen: sein Fontamara.

Nur am späten Nachmittag ließ er sich zu Spaziergängen überreden, die ihm halfen, seine motorische Unruhe abzubauen, denn beim Schreiben wanderte er oft im Zimmer auf und ab, Maria hörte auf seine Nagelschuhe und fürchtete Kratzer auf dem Parkett.

Hatte die Sonne schon an Kraft eingebüßt, gingen er und Aline Richtung Spruga. Die frühen Abende waren angenehm, von großer Leuchtkraft. Im Rhythmus des Gehens führten sie die Gespräche vom Vorabend am Kaminfeuer fort, Silone hatte vorgelesen, und für Aline waren die Gestalten aus dem Roman über Nacht lebendig geworden. Manchmal wollte Silone allein ausgehen, nein, keine Gespräche, er müsse seinen Kopf auslüften. Doch das war oft nur ein Vorwand, um ins Dorf zu gehen, wo er mit den Bewohnern endlich wieder einmal seine Muttersprache sprechen konnte.

In der *Osteria della Posta* saß der Lehrer Gamboni nach dem Korrigieren der Hefte bei einem Viertel Rotwein, den Diskussionen über die Lage im benachbarten Italien schlossen sich bald andere Wirtshausbesucher an, erhitzte Gespräche, die sich bis in den Abend hinzogen. Silone hörte zu, meist schweigend, sein Platz am Esszimmertisch in der Barca blieb unterdessen leer.

Aline, die fürchtete, er habe sich auf einem Feldweg verirrt, ging zur Gartenmauer und hielt Ausschau, sah aber nur Luca, der mit einer alten Büchse Fußball spielte.

«Luca!»

Er kam rasch heran. Die Sciora bat ihn, über die Brücke gegen Corbella zu gehen, den Dichter schonend anzuhalten und ihm zu sagen, in der Barca werde das Essen serviert.

Luca brauchte nicht weit zu gehen, Silone stand am Geländer der Brücke, die man Hexenbrücke nennt, und starrte in den nach dem Regen sich kraftvoll drehenden Wasserstrudel.

Luca blieb ehrfürchtig stehen. Im Dorf hatte es sich herumgesprochen, dieser stattliche junge Mann, den einige für einen Filmstar hielten, sei ein wichtiger italienischer Antifaschist und Dichter.

«Verzeihung. Doch ich möchte sagen …», Luca räusperte sich. Das Wasser toste, und der Rest des Satzes kam ganz dünn: «Sciora Aline erwartet Sie zum Essen.»

Silone hob erstaunt den Kopf. Sah den scheuen Jungen mit den ungewöhnlich blauen Augen.

«Gut. Ich komme gleich», sagte er und schickte ihn voraus.

Die Köchin Maria, mütterlich besorgt um ihren Asketen, hatte ihm sein Essen warm gestellt.

Als Silone sich auch am nächsten Abend erst spät einfand und Alines vorwurfsvollen Blick sah, sagte er mürrisch, er habe sich in der *Osteria* mit den Leuten unterhalten. Er gehöre eben mehr zu diesen einfachen Leuten als zu den Gästen im Palazzo, die Geschichten der Einwohner berührten ihn, ihr einfaches Leben erinnere ihn an seine Ursprünge in den Abruzzen.

«Und das Abendessen?», fragte Maria aus der Küche und trocknete sich die vom Abwaschen nassen Hände an der Schürze.

Komme er nicht zur Zeit, so möge man ihm nichts aufheben.

Er brauche aber kräftige Kost, und dies regelmäßig, erwiderte Maria und runzelte die Stirn.

Schon. Aber er wolle nicht an eine Hausordnung gebunden sein.

Sein Fernbleiben am Abend blieb jedoch Ausnahme, denn sein Manuskript bedeutete ihm mehr als alle Kontakte. Um Aline neu verfasste Passagen vorzulesen und ihr Urteil zu hören, sonderten sie sich abends von den Gästen ab. Im Rauchzimmer, es war ebenerdig gegenüber dem Esszimmer gelegen, fanden sie Ruhe. Sie hörte zu, sagte in einer Pause:

«Das Leiden deines Volkes geht mir nahe. Auch wenn ich, wie du immer betonst, aus einer anderen Schicht komme, hast du mich mit diesen Menschen verwandt gemacht.»

«Ein Schreibender ist mit allen Menschen verwandt», sagte er und fügte lächelnd hinzu: «Auch du, Aline, wirst schreiben.»

«Worüber denn, was denkst du?»

«Über Geschichten aus diesen Dörfern. Ich merke, wie genau du beobachtest und wie lebendig du zu erzählen weißt. Die Menschen im Onsernone haben viel gemeinsam mit dem Volk in den Abruzzen, die gleiche Plackerei, die ewigen Geldsorgen, die Versuchung, den steinigen, trockenen Feldern den Rücken zu kehren und auszuwandern. Die Feldarbeiter bilden in ihrer Naturnähe und Einfachheit über die ganze Erde verstreut eine Gemeinde, und doch sind sich nicht zwei von diesen schlichten Menschen gleich.»

«Das macht auch die Lebendigkeit deines Buches aus», sagte sie.

Nie war sie Silone näher als abends beim Zuhören. Sie konnte beobachten, ohne dass er durch ihren Blick irritiert wurde, wie er die Lippen bewegte, um die Wörter zu bilden, bedächtig, sorgsam, ein Wortarbeiter.

Sie sah Emotionen über sein Gesicht huschen, plötzliche Lichter wie auf einer Wasserfläche, vom nachfolgenden Satz wieder ausgelöscht. Es gab Wörter, die rhythmisch einfielen wie Regen, unter denen es grün wurde und zu blühen begann. Aber auch derbe Ausdrücke, die wie Hagelkörner prasselten und diese Landschaft verwüsteten.

An der Stelle, wo in der Erzählung die faschistische Miliz ein Viereck bildet, um die Bauern einzuschließen, sie mit Waffen bedroht und ihren Spott mit ihnen treibt, stockte Silone. Das nervöse Zucken seiner Augenlider machte das Weiterlesen unmöglich, Tränen traten in seine Augen. Sie legte sacht ihre Hand auf seinen Arm.

«Die Geschichte greift dich an.»

Er blickte ihr, wie von weit herkommend, ins Gesicht. Entdeckte in ihrer Kopfhaltung und im Ausdruck ihrer dunklen Augen wie in einem Spiegel seine eigene Verzweiflung. Sagte dann gepresst:

«Ich denke an meinen Bruder. Er ist letzte Woche gestorben.»

«In der Strafanstalt in Procida?»

«Ja ... Er ist für mich gestorben», sagte er leise. «Bei seiner Verhaftung hat er sich als Mitglied der Partei ausgegeben, obwohl dies gar nicht stimmte, denn Sport hat den damals Achtzehnjährigen mehr beschäftigt als Politik. Er war Idealist, hatte wohl ein besonderes Gefühl für Tapferkeit und Ehre.

Ich habe versucht, mich so zu verhalten, wie ich glaube, dass du dich verhalten hättest, hat er mir aus dem Gefängnis geschrieben. Das hat es mir noch schwerer gemacht, die Partei zu verlassen; mein Ausharren, auch unter schwierigen Umständen, hätte das Opfer meines Bruders vielleicht gerechtfertigt.»

«Du bist aus der Partei ausgetreten?» Sie hob erstaunt den Kopf. Er nickte.

«Die Partei darf niemand verlassen, so hat sie mich ausgeschlossen. Es war höchste Zeit. Ich war nahe daran, meine Würde zu verlieren.»

«Ist das kürzlich geschehen?»

«Nein, es liegt jetzt Monate zurück.»

Sie richtete sich jäh auf: «Und weshalb hast du mir nichts gesagt?»

«Es war eine schmerzliche Loslösung, glaube mir. Die Partei war mir nach so vielen Jahren mehr als eine Heimat.»

«Und da hast du dich verkrochen und deine Wunden geleckt?»

Er nickte. «Ich komme aus einem Land, in dem man länger Trauer trägt als anderswo. Auch wollte ich es vermeiden, mich mit Ausgetretenen oder Ausgestoßenen zu treffen, Selbstmitleid ist mir ein Gräuel. Die ehemaligen Kommunisten befinden sich in einem traumatischen Zustand, darin gleichen sie ehemaligen Priestern …»

Aline fröstelte plötzlich. Sie ging zum Kamin und zündete ein paar der von Silone zerrissenen Manuskriptblätter an, legte Scheite dazu, um dem Feuer Nahrung zu geben.

Es war still geworden, die Gäste hatten sich in ihre Zimmer zurückgezogen, einige hörte man auf dem Kiesweg ins Nebenhaus hinübergehen, wo auch Silone seine Unterkunft hatte.

Er mochte nicht weiterlesen. Seine eigene Welt hatte ihn eingeholt. Auf der altertümlichen Liege, die auf Holzsäulen einen Baldachin trug, saßen sie nebeneinander, spürten die Wärme des Feuers. Aline hatte den Arm um ihn gelegt.

So neben ihm fühlte sie sich glücklich. *So gelockert, in der brennenden Gegenwart aufgehoben, war ich nie gewesen und sollte es auch nie mehr sein.*

Er schien Ähnliches zu empfinden.

«Wie seltsam, dass wir uns so innig verstehen», sagte er und wiederholte, was er schon oft mit großer Schärfe gesagt hatte: «Eigentlich passt du nicht in mein Leben, wir kommen von so verschiedenen Seiten.»

«Das stimmt nicht», wehrte sich Aline, «meine Vorfahren, die Ducommuns, kommen aus Südfrankreich, stammen also wie deine Vorfahren vom Mittelmeer, sie waren Hugenotten, haben wie deine lateinische, christliche Wurzeln.»

«Wurzeln.» Er wiederholte das Wort nachdenklich. Fuhr dann nach einer von Gedanken erfüllten Pause fort: «Du hast mich, auch was meine Menschlichkeit angeht, zu meinen Wurzeln zurückgeführt. Aline, meine Wurzel, meine Liebe … Wenn wir eines Tages einander loslassen müssen, vergiss es nicht: Du bleibst immer bei mir.»

«Was sprichst du von Loslassen?»

Er spürte ihr Erschrecken, sah ihr schönes Profil im Gegenlicht des Kaminfeuers und küsste sie.

Sie ließen sich auf das Lager fallen, erfuhren in der Umarmung jenseits aller Worte ihre Ganzheit.

16

Drückende Augusttage sind im Hochtal des Onsernone eine Seltenheit. Es ist, als hätte sich der Sommer in diesem Jahr auf seinem Rückzug zwischen die Berge geflüchtet. Ein kleiner Zug von Knaben schlängelt sich hinunter zum Fluss.

Unterhalb des Friedhofs liegen die steilen Terrassen, gegürtet von Stützmauern, die nach Regengüssen immer wieder ausgebessert werden müssen. Manchmal spült der Regen alles hinab: Leichen, Grabsteine, Mäuerchen, Humus, Gartenpflanzen.

Der Abstieg ist mühsam, Steinrunsen müssen überquert werden, einer der Jungen gleitet aus, der nächste schlittert, fällt auf ihn, sie lachen, rappeln sich wieder auf. Endlich haben sie die Wasserrinne erreicht. Weit oben schwimmt das Dorf im Blau des Himmels. Die Kinder suchen sich Tümpel, wo ihnen das Wasser wenigstens bis zur Brust reicht, die größeren Knaben waten in Unterhosen hinein, die Kleinen streifen alles ab.

Luca, der Älteste, entfernt sich flussaufwärts, weiß einen kleinen Steinstrand, kein Mensch weit und breit.

Nackt steht er in dem von der Sonne durchfluteten Wasser, blinzelt, sucht auf der Wasserfläche das Bild seines Körpers, rosafarben taucht es auf, knittrig von den Wellen.

Der Fluss hat sich während Jahrtausenden immer tiefer eingegraben, hat der Lehrer Gamboni gesagt.

Aber die Terza in der Barca weiß es besser: Das Tal ist uralt, das Leben zieht sich zurück, der Wasserstrang sehnt sich nach dem Innern der Erde. Je älter ein Mensch wird, umso tiefer zieht sich sein Blut in sein Inneres zurück.

«Schau, Luca!» Die Terza krempelt in der Bäckerei ihren Ärmel hoch und zeigt auf ihren bloßen Arm:

«Auch ich bin dürr geworden wie die Felder im August, ausgebrannt. Ja, früher war ich im Saft, ich habe fünfzig Jahre lang in der Barca gewirtschaftet!»

Gegen Mittag war es auch im Garten der Barca heiß geworden, die Siamkatzen Henri und Garage verließen die Granitplatten und suchten ihre Schattenplätze unter den Bäumen auf, und die Sciora ging ins Haus, um nachzuschauen, ob denn ihr Gast immer noch schreibe.

Doch Silone stand schon im Flur, in leichter sommerlicher Kleidung und seinen üblichen Nagelschuhen, in der Hand schwang er die Badehose.

Er wolle hinunter zum Isorno. Das Wasser werde dort kühler sein als im Schwimmbecken.

Wenn es ihm recht sei, wolle sie ihn begleiten, sagte Aline.

Er blickte auf ihre Sandalen, mit Riemchen waren sie an ihre schlanken Fesseln gebunden. Sie sah seinen Blick, lächelte: «Keine Sorge. Ich ziehe robusteres Schuhwerk an.»

Der Weg war zwischen den Erlen rattenschwanzdünn und abschüssig, ab und zu verlor sich seine Spur unter

Geröll. Auf den kollernden Steinen glitt sie trotz der griffigen Sohlen mehrmals aus, verbot sich aber, seine Hand zu nehmen. Tiefer ging es in den steilen Einschnitt des Flusstals.

Plötzlich hörten sie Wasserrauschen. Schäumend fiel es über eine Felsbarriere, ein toter Baumstamm bleichte in der Sonne. Zwischen Felsbrocken fanden sie ein Becken mit stillem blauem Wasser.

Silone zog sich hinter einem Felsen um, erschien nach einer Weile, mit der Geniertheit eines Klosterschülers, in Badehosen. Aline brauchte nur ihr Kleid über den Kopf zu ziehen. Sie trug ihr Badekleid darunter: schwarz und weiß wie ein Pierrot, der Ansatz der Oberschenkel züchtig bedeckt, doch war noch genug von diesen überaus langen, elegant geformten Beinen zu sehen, die unter Männern Gesprächsthema waren.

Sie stieg vorsichtig ins Wasser, machte, erschreckt von der eisigen Kälte, hastige Züge. Prustete, lachte, rief nach Silone. Er hatte mehr Mühe, sich an das Schneewasser zu gewöhnen, nur kurz hielt er es aus, legte sich dann auf eine der heißen Felsplatten zum Trocknen.

Aline legte sich neben ihn.

«Wie Adam und Eva», lachte er, blinzelte, sah an ihren Armen flimmernde helle Härchen. Bemerkte eine Ameise, die über ihre Schulter lief. Klaubte das freche Tier mit Daumen und Zeigfinger von ihrer Haut weg. Küsste ihren Nacken. Da – noch eine Ameise – aber es war nur das versteckte Muttermal in ihrer Halsfuge.

Luca stand unterdessen auf einem höher gelegenen Felsen, er hatte das Paar entdeckt und spähte nach ihm: Das Paradies, dachte er. Wer mit ihr zusammen ist, ist glücklich.

Inzwischen zog die Horde der jüngeren Kinder flussaufwärts, ihr Anführer war der Sohn des Sigrists. Als er die Sciora mit dem Mann entdeckte, machte er den Nachfolgenden Zeichen, sich leise anzuschleichen.

Aline wagte noch einmal zu schwimmen. Als sie aus dem Wasser stieg, entdeckte sie hinter dem Fels die Köpfe der Kinder: «He!», rief sie, «was starrt ihr da, kommt baden!» Die Knaben kamen rasch heran, blickten erst ein bisschen geniert auf die schöne Sciora, die meisten hatten noch nie Erwachsene in Badekleidern gesehen. Es war hier verpönt, dass Männer und Frauen zusammen badeten. Doch verloren sie bald ihre Scheu, lachten, stießen einander ins Wasser.

Nur Luca bewahrte Abstand, stand wie eine Statue, mit seinen Augen legte er bis zur Sciora eine blaue Spur.

Aline erkannte ihn, winkte ihm zu. «Schau, der Blauäugige», sagte sie zu Silone, «in ein paar Jahren wird er die Frauen im Tal bezirzen.»

Paolo Rossi war im Hochsommer nach Zürich gereist. In der *Cooperativa*, dem Versammlungsort der linksgerichteten Italiener, begegnete er befreundeten Emigranten.

Bei einem Glas Wein klärten sie ihn auf: «Weißt du, dass Frau Rosenbaum einen würdigen Nachfolger als Italienischlehrer gefunden hat? Rate mal, wen …? – Unseren geheimnisumwitterten Tranquilli, der sich seit neuestem Silone nennt und kürzlich der Partei den Rücken gekehrt hat! Offensichtlich macht er seine Sache als dein Nachfolger gut, er soll sogar im Onsernone Gnade gefunden haben, im Palazzo der Signora!»

Zurück in Comologno, stieß Rossi schon am ersten Abend in der *Osteria della Posta* auf Silone. Sie kamen ins Gespräch, fanden rasch Gemeinsamkeiten. Sie waren fast gleich alt – Silone 1900, Rossi 1901 geboren –, beide waren sie, von den Faschisten verfolgt, in die Schweiz geflohen. Auch Rossi hatte einen Bruder, Ernesto, einen Wirtschaftswissenschaftler, der von Mussolinis Polizei verhaftet, wegen antifaschistischer Zeitungsartikel im Gefängnis saß. Und wie Silone war Rossi enttäuscht von der Partei.

«Wir sitzen im selben Boot», stellte Rossi fest und blickte forschend in das Gesicht seines Gegenübers. Sagte dann langsam, mit veränderter Stimme: «Wir beide sind auch Italienischlehrer im Baumwollhof gewesen. Und nun, so heißt es, bist du mein Nachfolger im Palazzo der Signora?» Silone fing seinen schrägen Blick auf, wusste ihn zu deuten, war aber noch immun für seine Botschaft. Er schwieg ratlos.

«Dann viel Glück», sagte Rossi, den das Schweigen ärgerte, «mach deine Sache gut. Und gib der Signora dies zurück!» Er reichte Silone über den Tisch hinweg einen langen eisernen Schlüssel.

Silone wog ihn zögernd in der Hand und steckte ihn schließlich in seine Tasche.

Am Sonntag läutet der Sigrist von Hand die Glocken im Turm, zuletzt lässt er noch eine Weile die kleinste bimmeln, auf der Dorfstraße das Getrappel verspäteter Kirchgänger.

Von der Barca her hört man Wasserspritzen, Männerstimmen, Scherzworte. Als Antwort das helle, wie eine

Ziegenschelle klingende Lachen einer Frau. Der Priester, schon im Messgewand, hört mit gerunzelter Stirn unter der Kirchentür alles mit.

Es gibt Geräusche mitten im Dorf, welche das Anstandsgefühl der Bevölkerung verletzen. Don Cesare flicht es in seine Predigt ein. Er ist noch jung, ein Milchbart, sagen die Leute, doch er bemüht sich. Seine Hände ruhen verschränkt auf dem wulstigen Rand der Kanzel, die Spitzenmanschetten der Ärmel verdecken das Gesicht eines holzgeschnitzten Engels. *Zugegeben, man sieht hinter der Mauer nichts,* fügt er hinzu. *Aber gerade das regt die Phantasie unserer Jugend in ungesunder Weise an.*

Warum ungesund, überlegt Luca, und steigt nach der Messe hinter dem Sohn des Sigrists über die halsbrecherische Wendeltreppe in den Glockenturm.

Da liegt er offen zu Füßen, der Garten Eden. Das Schwimmbecken mit den ockerfarbenen Kacheln, die Liegestühle, die Rosen der Sciora. Luca kauert sich unter die Öffnung der Glocken, die Sonne scheint ihm ins Gesicht, er schließt die Augen. Das Leben ist wie ein roter warmer Mantel, es hüllt ihn ein, er braucht nur stillzuhalten und zu atmen.

Mit Ungeduld erwartet er, ein Mann zu werden wie Paolo Rossi und Silone. Wird eines Tages, wenn er erwachsen ist, die Sciora noch da sein?

Die Zukunft erscheint ihm als geheimnisvolles Anwesen hinter Mauern und Bäumen, ähnlich dem der Barca.

Noch einmal trafen Rossi und Silone in der *Osteria della Posta* zufällig zusammen, es war Nachmittag, die Wirtsstube leer. Silone, sich an das von Rivalität geprägte

Gespräch vor ein paar Tagen erinnernd, wollte der Unterhaltung eine andere Richtung geben. Lobend erwähnte er einen Artikel von Rossis Bruder Ernesto, es war die utopisch anmutende Skizze eines föderalistischen Europa, und Silone fügte hinzu, er empfinde es als Verlust, dass der hoch begabte Verfasser nun schweigen müsse.

«Zu wie viel Jahren ist dein Bruder verurteilt worden?»

«Zu zwanzig Jahren», antwortete Rossi. «1929 haben sie ihn eingesperrt …»

«Der Faschismus wird nicht so lange überleben», prophezeite Silone.

«Wie sehr ich das hoffe», antwortete Rossi. «Nicht nur für Ernesto. Es ist doch auch für uns, die wir auf freiem Fuß sind, nicht leicht, im Exil unsere Würde zu bewahren … In diesem Sinn, Silone – lass mich mit dir ein Wort von Mann zu Mann reden!»

Er warf einen absichernden Blick in die Gaststube, sah die Wirtin, die vor der Türe mit dem Bierfuhrmann schwatzte, außer Hörweite und fuhr fort: «Wie du habe ich aus Geldmangel im Baumwollhof Italienischstunden gegeben. Ich war jung, unerfahren, ein Asket und Wahrheitssucher. Du kannst dir denken, wie es weiterging. Kein Mann ist unempfindlich gegen die Art, wie eine schöne Frau aufreizend lacht, ihre Beine übereinander schlägt … Mir hat sie damals zu verstehen gegeben: Auch Sinnlichkeit ist ein Teil der Wahrheit, der Wirklichkeit …»

Er hielt inne, stieß dann mit großer Heftigkeit die Sätze hervor, denen Silone zwei Jahre später in Rossis Buch *Ich mache nicht mehr mit* wieder begegnen sollte, einer Abrechnung mit der Partei und – nur leicht verhüllt – mit Aline Rosenbaum:

*Wir haben uns geküsst. Und wie! Ihre Zunge schlägt sich durch
meine Zähne und führt einen raffinierten Tanz auf … Dann
schlafen wir zusammen. Auch darin ist sie Meisterin, raffiniert,
vollendet, ja, lache nur: beinahe wissenschaftlich. Meine Rück-
ständigkeit ist, ich geb' es zu, auf angenehme Art bald aufgeholt
worden, aber was muss ich feststellen?*
Dass ich nicht ihr einziger erotischer Partner bin.
*Ich kann nicht zulassen, dass sie sich ein geistiges Air gibt und
dabei die ganze Welt nur als einen erotischen Konsumgegenstand
betrachtet …*

«Erzählst du mir das, weil ich, wie du sagst, dein Nachfolger bin?», fragte Silone vorsichtig.

Rossi wich seinem Blick aus, kleine Schweißtropfen standen über seinen Brauen.

Silone dachte eine Weile nach, bemühte sich dann, locker,
ja mit dem Anflug eines Lächelns zu sagen: «Wir beide,
Paolo, sind italienische Männer. Seit Jahrhunderten gibt
es bei uns die Frau nur als Madonna oder als Hure. Als
Sozialisten sollten wir eigentlich für die Gleichberechti-
gung eintreten. Warum soll der Frau verwehrt sein, was
wir dem Mann als selbstverständlich zugestehen – die
Suche, auch über Umwege, nach Erotik?»

«Ja, schon», rief Rossi aufgebracht, «aber bei dieser Dame
macht sich ein ausbeuterischer Zug bemerkbar, ganz
nach der Methode des Kapitalismus!»

Silone musste lachen und wurde von einem Hustenanfall
gepackt.

Dann sagte er versöhnlich: «Paolo, ich kann deine Wut
nachfühlen, aber von dieser Frau, die wir – zu unserem
Glück oder Unglück – offensichtlich beide lieben, habe
ich eine Menge gelernt über das Leben, die Menschen

und auch über das Klima, in dem wahre Menschlichkeit gedeiht. Ihre Toleranz, Rossi, ist mir ein Vorbild, und die Barca, als Arche für die verschiedenartigsten Menschen – ist sie nicht ein Modell für dieses föderative Europa, das deinem Bruder Ernesto vorschwebt?»

17

Letzte Barca-Tage mit Silone.

«Wir sind aus verschiedenen Persönlichkeiten zusammengesetzt», hat Aline ihm einmal gesagt, «so sind auch unsere Gedanken und Empfindungen einem Wechsel unterworfen.»

Die Bestimmtheit, mit der Silone Rossi gegenübergetreten ist, wird in den folgenden Tagen abgelöst durch Zweifel, da meldet sich in ihm hartnäckig eine Stimme, die ihm rät, Aline und ihre Welt aufzugeben.

«Ich werde dich lassen müssen, Aline.»

Sie hat es schon oft gehört, schlägt seine Warnung in den Wind. Sie kennt seine Stimmungsschwankungen, er ist oft reizbar, leicht zu erschüttern, unerwachsen.

Vorige Woche, als Binia Bill sie beide photographieren wollte, hat er sich widerwillig, wie ein Verurteilter, neben ihr an die Mauer der Barca gelehnt, die Hände übereinander wie schützend vor dem Geschlecht, eine ungeküsste männliche Jungfrau.

Mon petit, nennt Aline ihn in solchen Momenten zärtlich und nachsichtig.

Jahre später wird sie von Silone ein Interview lesen, in dem er sagt, im Schweizer Exil habe er nicht nur zu schreiben begonnen, er sei dort auch zum Mann geworden.

Im Esszimmer trank er stehend seinen bitteren schwarzen Kaffee und teilte ihr mit, dass er übermorgen abreisen müsse. Man erwarte ihn in der Landkommune.

«Wo ist diese Kommune genau?»

Er wich aus. Doch am Abend, beim Kaminfeuer, entstand zwischen ihnen wieder die alte Vertrautheit, und er erzählte von der *Fontana Martina*: Fritz Jordi, ein sozialistischer Buchdrucker aus Bern, Maler und Schriftsteller, habe die Kooperative mit einigen Künstlern nach dem Vorbild von Worpswede gegründet. Oberhalb von Brissago, ganz in der Nähe der italienischen Grenze, stehe Jordis Handpresse. Ein idealer Ort, um antifaschistische Aufrufe für Italien zu drucken.

«Kann ich dir irgendwie behilflich sein?», fragte sie und deutete an, für Wladimirs Büro habe sie kürzlich sogar Devisen geschmuggelt.

Er winkte ab. Handzettel, in religiöse Broschüren verpackt, ließen sich problemlos über die italienische Grenze bringen: in der Herz-Maria-Post «Ermordet Mussolini»-Aufrufe!

Sie lachte.

«Und was druckt Jordi sonst noch auf seiner Handpresse?»

«Eine eigene Halbmonatsschrift. Zu den Herausgebern gehört auch der berühmte Maler Heinrich Vogeler.»

Aline war erstaunt. In ihrer Kindheit habe sie Vogelers Illustrationen geliebt, sie sehe die Bilder noch vor sich, ein bisschen verträumt, ein bisschen Jugendstil.

«Inzwischen sind seine Illustrationen herber geworden.» Silone, stand auf und holte aus seinem Koffer zwei Nummern der Zeitschrift.

Aline blätterte und war angetan von der Ausstattung, besonders die Linolschnitte von Carl Meffert, der mit dem Pseudonym Clément Moreau zeichnete, fand sie ausdrucksstark.

«Und diese Künstler, sagst du, betätigen sich dort als Siedler und Bauern? Dann ist die *Fontana Martina* eine Art Zweigstelle des *Monte Verità*?»

Silone wehrte entschieden ab.

«Der *Monte Verità*, wenigstens seit ihn der Millionärssohn Ödenkoven gekauft hat, ist etwas für gelangweilte Reiche, unter denen sich vielleicht auch ein paar Künstler befinden. Die *Fontana Martina* hingegen ist der ernsthafte Versuch, die sozialistische Idee eines autarken, neuen Menschen zu verwirklichen.»

«Du schaust wieder einmal durch deine ideologische Brille», sagte sie tadelnd.

«Mag sein … Trotz meines Ausstiegs aus der Kommunistischen Partei trete ich noch immer für den Sozialismus ein, er ist älter als der Marxismus. Wie im ursprünglichen Christentum finden sich hier Werte für ein besseres Zusammenleben unter den Menschen.»

Sie schlug vor, Silone in ihrem Wagen zur *Fontana Martina* zu bringen, die Reise mit den verschiedenen Autobussen sei tagesfüllend. Er winkte ab. Tat sich schwer mit der Vorstellung, Aline könnte ihren eleganten Ford vor der proletarischen Siedlung parken. Doch schließlich sah er die praktischen Vorteile und nahm ihr Angebot an.

Es war ein strahlender Föhntag, als sie abfuhren. Aline kurbelte das Dach auf, und mit eleganten weißen Staub-

mützen und Sonnenbrillen ausgerüstet, fuhren sie im
offenen Wagen talwärts.

Es schien Silone, noch nie sei er eine so enge Straße,
unter überhängenden Felsen, gefahren. Die Wangen wurden feucht vom Wasserstaub der Bäche und Rinnsale.
Manchmal kam ihm so vor, als fahre Aline frontal auf
eine Wand zu, und nur im letzten Moment, mit einer
kräftigen Drehbewegung brachten ihre weiß behandschuhten Hände das Steuer in andere Richtung.

Als sie das enge Onsernone-Tal im Rücken hatten, entspannte sich Silone, die Fahrt ging nun durch die ebenen
Dörfer des Pedemonte. Hinter Losone dann ein kurven-
reicher Aufstieg. Oben bei Arcegno empfing sie der
grüne Tunnel des Kastanienwalds, hinter den letzten
Bäumen schimmerte der helle Kubus von Glausers und
Köbi Flachs Waldmühle. Eine weitere Kurve, und ein
paradiesischer Blick tat sich auf: Der See tief unter ihnen,
lichterfüllt; in seiner vom Föhnwind geriffelten Oberflä-
che schwammen zwei Inseln.

Nach dem Dorf Ronco bestand Silone darauf, das letzte
Stück zur *Fontana Martina* zu Fuß zu gehen. Aline hielt
den Wagen an, und sie standen einen Moment, noch von
der Fahrt benommen, mit ihren lächerlichen Sonnenbrillen und Staubmützen am Wiesenbord. Der Bauer, der
ihnen mit einer Karre voll Gemüse entgegenkam, betrachtete sie erstaunt, erkannte dann trotz der Vermummung
Silone und begrüßte ihn freudig.

Es war Fritz Jordi, der Gründer der Kommune, ein
dürrer Mann mit einem seltsamen, beinahe kinnlosen
Gesicht, unordentlichem Haarschopf und dunklem
Schnauzbart.

Aline wurde von Silone als Frau Rosenbaum aus Zürich vorgestellt.

«Die Frau des jüdischen Anwalts?» Jordi blitzte sie mit seinen munteren Knopfaugen an. Als gebürtiger Berner kam er sofort auf den Giftmordprozess zu sprechen. Es brauche solch gründliche und mutige Anwälte, wie ihr Mann einer sei, die Justiz sei im Verfall begriffen wie der Rechtsstaat. Nun wolle er aber mit seiner Karre umkehren, Aline die Siedlung zeigen.

Der Feldweg führte zu einem kleinen Platz mit einer Kapelle. Daneben stand eine alte Osteria, die den merkwürdigen Namen trug: *Alla Voce del Deserto* – zur Stimme der Wüste. Eine Steintreppe führte hinunter zu dem kleinen Weiler, den Jordi 1923 hatte kaufen können, nachdem die Bewohner ihre vom Erdrutsch verwüsteten Häuser aufgegeben hatten und nach Amerika ausgewandert waren. Fünf Jahre lang habe er, Jordi, zum Teil mit Heinrich Vogelers Hilfe, beschädigte Mauern in Stand gesetzt.

Bei den Häusern angelangt, blieb Aline verwundert stehen. Es war Mittag, eben waren sie auf dem Feldweg noch in der Hitze gegangen, nun fröstelte sie im Schatten dieser hohen Bauten. Ein dämmriges, grünliches Licht lag unter Bögen und Durchgängen. Mauern und Dächer, aus schweren Bruchsteinen gefügt, bildeten eine graue Einheit mit den nahen Felsen. Bauleute hatten, wohl vor zweihundert oder mehr Jahren, vom höheren Steilhang aus kühne Brücken geschlagen, ähnlich den Strebepfeilern alter Kirchen. Doch diese hier waren begehbar, und mündeten mit Treppen vor den Türen im ersten und zweiten Stockwerk.

«Genial, diese Konstruktion.» Aline war beeindruckt.

Jordi nickte. «Es sind wohl tüchtige Baumeister gewesen, die in Norditalien für reiche Herrschaften Palazzi errichteten, hier haben sie für ihre Familien diese Häuser erstellt. Sie sind von äußerst solider Bauart. Mit Heinrich Vogeler, der aus Worpswede angereist ist, habe ich vor drei Jahren Wasserleitungen gelegt und elektrische Kabel gespannt, die Holzbalkone ausgebessert.»

Durch einen Torgang gelangten sie zu den terrassierten Feldern, noch einmal dieser im Föhnlicht fast irreale Ausblick auf See, Inseln und Berge, doch Jordi schien ihn nicht mehr wahrzunehmen.

«Hier arbeiten wir vormittags», sagte er mit einem kleinen Seufzer, «denn wir möchten autark, das heißt ausschließlich vom Ertrag unserer Pflanzung, leben. Aber es fällt uns nichts in den Schoß, die Terrassen sind verunkrautet, die Pfirsichbäume verkümmert und krank. Nach jedem heftigen Regen drohen die Pflanzungen durch Erdrutsche den Hang hinunterzuschliddern. Auch holt der Wald sich wieder zurück, was ihm unsere Vorgänger abgetrotzt haben. Zugegeben, die meisten von uns sind keine erfahrenen Bauern, es sind Künstler, Arbeitslose, politisch Verfolgte. Man lebt hier nur klimatisch im Paradies, wollen wir unser Gemüse verkaufen, stecken wir sofort in den kapitalistischen Mechanismen von Angebot und Nachfrage ... Aber genug davon!», sagte er und führte die Gäste unter die Bögen zurück, stieß die Türe zu einem kellerartigen Raum auf.

«Unser Stolz, die eigene Handpresse! Hier wird unter anderem unsere Hauszeitung gedruckt.»

Aline erkundigte sich nach Heinrich Vogeler, dem Mitherausgeber, ob er hier anzutreffen sei? Jordi verneinte. Vogeler, der schon eine Weile den Wunsch habe, nach Russland auszuwandern, befinde sich auf einer Reise durch Zentralasien. Von dort aus schicke er ab und zu Berichte für die Zeitung *Fontana Martina*.

Jordi zeigte auf dem Tisch die zwei neuesten Nummern.

«Eine Graphik von hohem Niveau», lobte Aline.

Jordi nickte. «Ein Agitationsblatt soll es ja nicht sein. Aber die Holzschnitte von Clément Moreau, Helen Ernst oder die von meinem Sohn Pietro Jordi sprechen, zusammen mit den Artikeln, eine unzimperliche Sprache. Schließlich arbeiten wir ja hier alle am Aufbau einer sozialen und unorthodoxen neuen Gesellschaft. Das stößt nicht überall auf Begeisterung. Im letzten Winter sind Polizisten aus Brissago zu uns hochgekommen unter dem Vorwand, sie müssten zu hohe Bäume kappen, dann sind sie hier in den Keller eingedrungen und haben die letzte Nummer der Zeitung konfisziert. Sie wollten auch die Druckmaschine den Hang hinunterschleppen, aber sie war zu schwer! In der Absicht, uns am Weiterdrucken zu hindern, haben sie ein Teil abgeschraubt, zum Glück ein Gestänge und eine Feder, die gut zu ersetzen waren. Und so haben wir eben weiter gedruckt …»

Unterdessen waren Männer und Frauen von den Feldern zurückgekommen, in ihren bäurischen Joppen gingen sie über den Hof und wuschen sich am Brunnen Gesicht und Hände.

«Nun trudelt alles ein», sagte Jordi. Ob Silone und seine Begleiterin mithalten wollten bei einer frugalen Mahlzeit? Silone wurde am Tisch von Clément Moreau begrüßt, einem rundlichen Mann mit herzhaftem Lachen. Der als Carl Meffert 1903 in Koblenz Geborene war in Berlin Schüler von Käthe Kollwitz gewesen, seine Linolschnitte, treffsicher politische Verhältnisse geißelnd, hatten ihn weit über Deutschland hinaus bekannt gemacht.

Die Freunde unterhielten sich in französischer Sprache. Moreau erkundigte sich nach Silones Manuskript *Fontamara* und schlug vor, da ja leider die deutsche Ausgabe bei Oprecht ohne Illustrationen herauskomme, für die geplante illegale italienische Ausgabe Bilder zu machen – ein Projekt, das erst nach dem Zweiten Weltkrieg verwirklicht werden sollte.

Die lange Tafel stand zwar idyllisch unter einem Kastanienbaum. Trotzdem wollte keine rechte Stimmung aufkommen, man aß schweigsam, hatte sich wohl auf den Feldern zu sehr geplagt, zudem trug jeder Tischgenosse auch sichtbar sein Bündel von Sorgen. Ab und zu wanderten kritische Blicke zu Aline hinüber, die in der Runde durch ihre städtische Kleidung auffiel. Als sie sich am Gespräch mit Moreau beteiligte, steckte man schnell die Köpfe zusammen und wollte wissen, wen Silone da mitgebracht habe.

Nach der Minestrone, der dicken Gemüsesuppe, wurden Platten mit gekochtem Gemüse und Salaten herumgereicht, dazu trank man Lindenblütentee.

Wir müssen essen, was das Land abwirft, sagte Jordi entschuldigend, doch Aline lobte das Essen, es schmecke ihr köstlich, alles gartenfrisch!

Aline waren die feinen, von der Arbeit geröteten Hände der Tischnachbarin aufgefallen, sie sei Helen Ernst, antwortete sie auf Alines Frage. In Berlin unterrichte sie an der Kunstgewerbeschule, auch sei sie Kostümberaterin im Warenhaus Karstadt. Oft lebe sie, zusammen mit ihrem Freund Moreau, in Paris oder eben wie jetzt in *Fontana Martina*, erklärte sie lachend. Ja, sie komme neben der Feldarbeit auch noch zum Töpfern. Nach dem Mittagessen ziehe sich jede und jeder zurück und mache sich an die künstlerische Arbeit, dann herrsche hier eine Stille wie in einem Kloster.

«Das muss schön sein», sagte Aline nachdenklich und sah zwei Eidechsen zu, die auf den Steinfliesen einander nachjagten. Daneben, in einem zerbeulten Topf, blühten rot gefleckte Tigerlilien. Ein Gedicht in der Zeitung *Fontana Martina* kam ihr in den Sinn, das ihr zwischen den politischen Texten aufgefallen war:

In den hängenden Gärten / am Lago Maggiore / wehen im Mittagswinde Mimosen.

Pinien wachsen am felsigen Ufer / ihre Kerne sind süß / und die Nahrung der Dichter.

In dieser Stadt, sagt man, arbeitet niemand / und jeder ist glücklich / man malt, dichtet und liebt.

Der Text war mit Eva Schulz-Wehlau gezeichnet, Aline erkundigte sich nach der Verfasserin. Helen Ernst zeigte unten am Tisch auf eine junge Frau mit dunklem Pagenkopf und Kopftuch. «Ja, Eva dichtet! Aber vormittags lebt sie wenig idyllisch, hackt sich auf dem Feld zwischen den Obstbäumen die Hände wund an der verkrusteten Erde!»

Alines Blick ging hinüber zu Silone. Selten hatte sie ihn so gelöst gesehen, wie selbstverständlich nahm er in der *Fontana Martina* seinen Platz ein. Nur ihr, der Außenseiterin, der Bourgeoisen, kamen im Gespräch Misstrauen und eine Prise Verachtung entgegen: Woher sie komme? La Barca, das sei doch ein Palazzo, hoch oben irgendwo? Da lebten auch Flüchtlinge? Ach ja, Silone habe letztes Jahr davon erzählt …

Und Moreau rief, begleitet von seinem polternden Lachen, quer über den Tisch: «Gut, dass er wieder herabgestiegen ist vom Berg in die Niederungen, unser Silone! Mit Lindenblütentee können wir nicht auf seine Ankunft anstoßen, das wollen wir abends nachholen, in der Osteria mit einem Glas Merlot!»

«Bleibt sie bei uns, die Frau Rosenbaum?», fragte Eva am unteren Ende des Tisches und hob den dunklen Pagenkopf.

Jordi verneinte, Frau Rosenbaum habe ihren Wagen vorne auf dem Weg geparkt und fahre heute wieder ins Onsernone zurück.

Aline kam es vor, als atme man in der Runde hörbar auf.

Sie zögerte die Heimfahrt ins Onsernone hinaus und machte in Ascona noch einen Besuch bei den Helbigs.

Ihre Liebesgeschichte mit dem Maler war längst Vergangenheit, aber sie waren gute Freunde geblieben. Die Helbigs bewohnten nun ein Haus auf der Collina, und Alines Respekt vor der Frau des Malers wuchs, denn sie hatte, ganz selbstverständlich, so schien es, ein uneheliches Kind ihres Mannes zur Pflege aufgenommen.

Ähnliches war, viele Jahre früher, in Ascona von der Malerin Marianne von Werefkin erzählt worden, die das in einer anderen Beziehung gezeugte Kind ihres Lebenspartners Jawlensky mit aufgezogen hatte. In beiden Fällen waren es die Frauen, die großzügig sein mussten, war dies als Schwäche oder Stärke zu deuten?

In der Dämmerung fuhr Aline Richtung Comologno. Die Barca lag in der Kälte des Bergschattens wie ein Spukschloss.

18

In der Barca sind neue Gäste eingetroffen, zwölf sind sie nun bei Tisch, bis auf Aline alles Männer.

Man tuschelt im Dorf. Auch in Zürich hat sich der Ruf verfestigt, Frau Rosenbaum sei erotisch unersättlich, und mancher scheint begierig, herauszufinden, ob das Gerücht der Wahrheit entspricht.

An den Abenden herrscht in der Männerrunde eine merkwürdige Spannung, ein Knistern liegt in der Luft: Der Favorit Silone ist abgereist, wen wählt sie aus unserem Kreis für ihr Himmelbett?

Die Haremsfrage wird heimlich oder offen gestellt – doch hier hat eine Königin die Wahl, der Harem besteht aus Männern.

Auf dem Gartentisch stehen die Weingläser im Halbschatten. Kerzen hat Aline keine im Haus gefunden, der Lichtkegel der Flurlampe im Ausschnitt der offenen Eingangstür muss an diesem Sommerabend genügen.

Aline lehnt sich auf ihrem Stuhl zurück, das Gesicht im Schatten der Taxushecke verrät keine Emotion. Man glaubt in ihr ein neues Geschöpf zu sehen, frei, geistreich, klug, stolz, von keinem Schuldgefühl belastet oder überschattet.

Werbende Blicke spannen unsichtbare Fäden.

Heinrich Zimmer, bis vor kurzem Professor in Heidelberg für indische Philosophie, versucht sein Wissen ins beste Licht zu rücken. Der Dichter und Emigrant Bernhard von Brentano raucht Zigaretten in einer vergoldeten Spitze, seine Briefe zieren ein Kronenwappen. Arthur Bryks, der schöne Pole, Kantor einer jüdischen Gemeinde, unterhält mit ostjüdischen Geschichten. Der Expriester Buonaiuti trumpft mit vatikanischen Enthüllungen auf. Ernst Toller, von einer Reise in den Orient zurück, bringt Aline eine goldene Dose mit eingeritzten Initialen.

Max Terpis, der Tänzer, liebt eher Männer wie Bryks, doch Aline ist seine große Frauenliebe.

Es ist lau, die Gläser sind leer getrunken, die Signora bemüht sich persönlich in den Weinkeller. Der Wein funkelt rubinrot in den Gläsern.

Der steinerne kleine Amor über dem Rand des Brunnens begnügt sich mit einem Wasserrinnsal. Im Tal herrscht Wassermangel, es hätte längst regnen müssen, Lehrer Gamboni hat protestiert, als man das Wasser im Schwimmbecken der Barca wechseln wollte.

Der Hausfrau zuliebe bringt man das Gespräch auf die Psychologie: «Erotik ist eines der grundlegenden Mittel der Selbsterkenntnis, ebenso unentbehrlich wie die Poesie», sagt Terpis. Max Ernst schwärmt von der Sinnlichkeit seiner dunklen Freundin in Paris und zitiert den in Mode gekommenen Schriftsteller D. H. Lawrence: ‹Der erotische Impuls könne auch von der Frau ausgehen.›

Man nickt, blickt auf Aline, doch sie schweigt und sucht den Himmel nach Sternbildern ab, fingert an ihrem Medaillon im Ausschnitt des Kleids. Sie sehnt sich nach ihrem Klavier.

Die Laterne im Flur, die dem Tisch im Garten ihr Licht spendet, ist von Mücken umschwirrt, jeden Morgen findet Maria auf ihrem gläsernen Grund unzählige Leichen.

Im Rosenzimmer, unter ihrem Baldachin, schläft die Vielbegehrte und Berüchtigte allein. Durch ihren Traum zieht Silone als jugendlicher Held, als *verdoyeur* mit kupfernen Locken. Gegen Morgen, wenn Terzas Hahn kräht, erwacht sie mit einem Schmerz. Sie murmelt Beschwörungen. Möchte sich das Herz nie mehr aufreißen an den Gräten der Liebe.

Ein paar Tage später bittet Bryks um die Gunst, die Nacht an ihrer Seite verbringen zu dürfen. Er verspreche, sie nicht zu belästigen, er wolle einfach in ihrer Nähe sein. Er sagt es mit dem Aufwand all seinen Mutes, auf seine scheue, verklemmte Art.
Sie lächelt, nickt.
Abends, als alle Gäste sich in ihre Zimmer verzogen haben, kommt er verlegen an, trägt einen hochgeschlossenen blauen Pyjama mit roten Punkten. Vorsichtig schiebt er sich neben sie unter das Leintuch. Sie lächelt ihn an, sagt gute Nacht und löscht das Licht. Am Morgen, als sie erwacht, beklagt sich Bryks bitterlich, er habe die ganze Nacht neben ihr gebrannt, wie sie nur so fühllos die ganze Zeit habe schlafen können?

Aline hat damit gerechnet, dass Silone im Herbst noch einmal zurückkomme ins Onsernone, doch da erreicht sie sein vom 28. September datiertes Schreiben, ein wunderliches Gemisch aus Liebes- und Abschiedsbrief, in französischer Sprache abgefasst. Darin wird der Gedanke variiert, Aline und er müssten sich für immer trennen – um ihre Liebe zu retten:

Das Schlimme ist nicht die Trennung, ärger sind die Banalität, das Vulgäre, das Mittelmaß, die mondänen Treffs, die Rendezvous mit fixem Termin, les thés, les après-thés, les dîners et les après-dîners.

Es gilt, unsere Liebe zu lieben, sie zu retten.

Was mich leiden macht, hält mich auch aufrecht.

Notre communion, notre unité. Chère Aline, cher radier, ma chère.

Achte auf deine Gesundheit. Wenn es dir schlecht geht, so berichte an die Rämistraße 5.

Und dann als Nachsatz auf separatem Zettel:

Ich werde dein Gesicht nicht mehr sehen, mein Gott, so sanft und rührend. Sich wendend und zurückwendend, so tröstlich, so versöhnlich mit den Menschen, dem Menschengeschlecht, der menschlichen Rasse Freude und Beruhigung bringend.

Wir werden uns wahrscheinlich nie mehr sehen, weder hier noch in Zürich.

Ich trage dich in mir, jetzt und für immer. Ich habe dich in mir entdeckt, Mittelmeerfrau (...)

19

Herbst im Onsernone.

Die Laubbäume an den Steilhängen lichten sich, die Umrisse des Tales zeigen sich deutlicher.

Der erste Raureif schon auf dem kurzen Alpgras, an Sonntagen steigen die Pilzsammler von der Höhe herunter. An der Türe der Barca bieten sie ihre Funde zum Kauf an.

Maria und die Sciora beugen sich über die Weidenkörbe, betasten die braunen Hüte, drehen die dickbauchigen Stiele zwischen Daumen und Zeigefinger. «Porcini, Schweinchen, heißen die Steinpilze hier», sagt Maria.

Da – ein falscher, die Sciora presst ihn mit dem Finger, die Röhren laufen unter dem Druck blau an.

Auch die Tage beginnen sich blau zu verfärben, als hätte man sie zu stark gepresst; Hausmauern, Wege, Berge plötzlich in unwirklichem Blau. Die Sciora begegnet auf dem Weg zum Kuhstall der Terza, unheilschwanger in ihren wehenden schwarzen Tüchern, eine Figur aus einer antiken Tragödie.

«Es wird ein strenger Winter», sie zeigt zum Steindach hinauf, wo der Sohn des Fischers eben einen Schneerechen anbringt.

An einem Nachmittag steht Luca vor der geschlossenen Tür des Palazzo, streicht über die geschnitzten Köpfe, hört Klavierspiel. Er klingelt, das Spiel bricht ab.

Die Sciora öffnet selber, sieht Lucas Pilzkörbchen:

«Zu verkaufen?»

«Nein, zu verschenken.»

Die Sciora kann sich sehr gut freuen, denkt Luca, und wenn sie sich freut, freut man sich mit.

Sie bietet ihm ein Stück Kuchen an, doch er schüttelt den Kopf. «Ich möchte ...», er schweigt verlegen.

«Was möchtest du, Blauauge?»

Sie hebt mit einem Finger sein Kinn, blickt ihn belustigt an.

«Ich möchte zuhören, wenn Sie spielen.»

Er darf sich in die Nähe des Klaviers setzen, und sie spielt mit diesem nach innen gewandten Blick, die Wimpern zeichnen dunkle Halbmonde auf die Wange, durch die Ritzen der Lider sieht sie den huschenden Fingern zu: *Die Berührung mit dem Elfenbein ist magisch betont. Es läuft ein Strom durch die Finger die Arme hinauf in den Körper. Eine Liebkosung kühler Art, die entzückt. Der Klang ist nur Beglei-tung der Bewegung. Gelingt eine rasche Passage, ist es Triumph über die Schwere (...) Es ist ein sinnlicher Genuss, mit dem musikalischen eng verbunden ...*

Sie blickt plötzlich zu ihm.

«Fugen von Bach. Langweilen sie dich?»

«Oh, nein!»

Er mag es, wie die schlichte Melodie sich aufbaut, wie ihr, als wären es Vogelstimmen, andere antworten, höher, tiefer. Wie sie plötzlich einander nachjagen, heftiger und schneller, schließlich einander finden und in Wohlklang durchdringen, sich sachte wieder lösen.

Man lernt aus diesen Tonfugen etwas über das Leben, murmelt sie mit dem Blick auf die Tasten.

In ihr Heft hat sie gestern geschrieben: *Vermutlich besteht eine Synchronizität zwischen dem, was wir Seele nennen, und dem sichtbaren Körper. Darum ist Musik so heilsam, denn in ihr verwirklicht sich am reinsten jener Doppelaspekt alles Seienden, der so schwierig anzunehmen ist …*

Sie erinnert sich an einen Vortrag, den sie im Psychologischen Klub über die Kunst der Fuge gehalten hat, in Anlehnung an Jung hat sie die Fuge mit einem Mandala verglichen. Auch hier: variierende Muster, die sich wiederholen, um eine Mitte herum anordnen.

«Was ist in der Mitte?», hatte die Rockefeller-Tochter stirnrunzelnd gefragt.

Aline konnte es nicht benennen, suchte nach einem Ausdruck.

«Es ist eine Kraft, die alles zusammenhält», sagte sie schließlich.

Luca sitzt im Halbdunkel neben der Sciora, lässt seinen Gedanken freien Lauf. Er hätte Lust, die Spielerin zu küssen, hätte Lust, mit seinen Lippen Muster aufzudrücken, wie Federica es tat auf ihrem Liebesbrief. So denkt er sich, still auf seinem Stuhl sitzend, in den Garten der Barca. Denkt sich den Sommer herbei. Sieht die Sciora auf der *straia inglese*, dem hölzernen Liegestuhl, hört das quietschende Geräusch, wenn sie mit den Händen die Radscheiben in Bewegung bringt, um sich in den Halbschatten zu rücken. Da liegt sie, die Schöne. Zwischen dem Bund der Türkenhose und dem knappen Oberteil blitzt eine Handbreit nacktes Fleisch. Die Haut um den Nabel im grellen Mittagslicht weiß, durchsichtig, katzenweich. Eine verwundbare Zone. Auch Katzen lassen sich am

Bauch nur von einem Menschen kraulen, dem sie vertrauen. Die Lippen sinken wie in ein Polster ein, fühlen unter der Haut Körperwärme, eine pochende Ader. Luca küsst. Setzt die Küsse wie Blütenblätter, rundum, rundum. Nur den Nabel lässt er frei.

Die Sonne allein darf ihn küssen.

Die Möbel werfen längst Schatten. Luca spürt seinen leeren Magen, und die Sciora spielt und spielt, selbstvergessen. Auf leisen Sohlen verlässt er ihr Reich, er wird sie in diesem Jahr nicht mehr sehen.

Sie ließ die Fenster winterdicht schließen, schickte die letzten Gäste fort, überließ die Barca den Winterstürmen und der alleinigen Nutzung der Terza. In Zürich glaubte sie näher bei Wladimir und Silone zu sein, doch ihr Mann war oft auf Reisen, und Silone, seinem Vorsatz folgend, ließ sich nicht blicken.

Einmal meldete sie sich an der Rämistraße 5, im Verlag von Emil Oprecht.

Silone war gerade damit beschäftigt, eine neue Nummer seiner Zeitschrift *information* zusammenzustellen. Oprecht erschien persönlich, führte Aline in Silones Büro und ließ Kaffee bringen. «Mein Verlag ist so etwas geworden wie eine Kaffeestube für Antifaschisten», sagte er lachend. Silone lehnte den Kaffee ab, er ertrage ihn in Zeiten der Anstrengung nicht. Oprecht neckte ihn, indem er zu Aline gewandt sagte:

«Silone sieht immer stattlich und prächtig aus und hält doch keinem Regen stand, wissen Sie, wie seine italienischen Freunde von der *Cooperativa* ihn nennen? Das Papp-Pferd!»

Als Oprecht draußen war, deutete Aline an, es gehe ihr schlecht. Darauf Silone, schon wieder hinter dem Arbeitstisch, in diesem Winter gehe es allen schlecht, und im kollektiven Unglück gehe das Individuelle unter!

Als wolle er ablenken, zeigte er ihr in der neuen Nummer seiner Zeitung einen Artikel des Sexualforschers Hirschfeld.

«Ihr blickt nach vorn», lobte sie, «auch Bills graphische Gestaltung mit der konsequenten Kleinschreibung ist wegweisend!»

Sie verschwieg, dass sie der *information* keine lange Lebensdauer gab, man nannte sie ein Blatt für Stehkragen-Marxisten. Zudem schossen jetzt Zeitungen wie Pilze aus dem Boden als Reduit für bedrohte Ideen.

Und *Fontamara* – wird dein Roman herauskommen? Dieses Manuskript, dessen erste Lektorin sie war, betrachtete sie ein bisschen als ein Stück von sich.

«Es klappt. Er erscheint im Frühjahr.»

«Und der Druckkostenzuschuss?»

«Ist von einem Gönner übernommen worden.»

«Kennst du seinen Namen?»

«Wladimir Rosenbaum.»

Sein geniertes Lächeln sagte ihr genug. Rosenbaum gegenüber hatte ihn stets das schlechte Gewissen geplagt. Unheimlich, dass ein Ehemann seiner Frau eine Beziehung *gönnen* konnte, wie Aline es zu nennen pflegte. Unheimlich, dass er dem Werk eines Nebenbuhlers zum Erscheinen verhalf!

Er ließ das heikle Thema. Erzählte ihr, er wohne nun ziemlich feudal, bei Marcel Fleischmann an der Germaniastraße. Der Getreidekaufmann und Kunstsammler habe einen Teil seiner Villa großzügig den Emigranten zur Verfügung gestellt.

«Dann plagen dich im Moment keine finanziellen Sorgen mehr?»

«Mich nicht, sagte er, ich schlage mich durch …»

Den Nachsatz, er suche jedoch Hilfe für andere, verbot er sich, den Namen Gabriella Seidenfeld wollte er vor Aline nicht aussprechen. Die langjährige Gefährtin, er hatte sie 1921 bei einem kommunistischen Jugendkongress in Triest kennen gelernt, lebte nun, wohl seinetwegen, in Zürich – ohne legale Papiere und ohne Geld. Seit seinem Ausschluss aus der Partei war auch sie, die ehemalige Compagna, die Gefährtin, in Ungnade gefallen. Zehn Jahre lang hatte sie der Partei als Agentin gedient, war Silone in Rom, Berlin, Paris und Basel beigestanden, in Madrid hatte sie längere Zeit im Gefängnis gesessen. Als Silone krank wurde, hatte sie ihn während seiner Kur im Lungensanatorium besucht, es gab davon ein Foto: Gabriella in Davos, die kleine mollige Rothaarige mit den grünen Augen in geliehenen Skihosen und Sportschuhen.

Seit einiger Zeit sind sie kein Liebespaar mehr, und trotzdem fühlt sich Silone verpflichtet, ihr zu helfen.

Einige Jahre später, als der Roman *Fontamara* in 22 Sprachen übersetzt und Silone mit dem Pulitzerpreis ausgezeichnet wird, gibt er ihr Geld, damit sie an der Langstraße in Zürich eine italienische Buchhandlung eröffnen kann.

Nachdem Aline an diesem Morgen Emil Oprechts Verlag verlassen hatte, nahm Silone seinen Mantel und ging zum

Bellevue-Platz, um die neueste Zeitung zu holen, vor dem Café *Odeon* stieß er zufällig auf Gabriella Seidenfeld. «Wo wohnst du jetzt?», fragte er sie.

Sie berichtete, die erste Frau von Albert Einstein, dem Begründer der Relativitätstheorie, habe ihr eine leere Wohnung zur Verfügung gestellt, ohne Licht, ohne Heizung, ohne Bett, nur mit einem Pelzsack zum Hineinschlüpfen.

«Und nun, wohin?» Silone zeigte auf ihre Einkaufstüten.

«Ich habe mir Brot und Milch besorgt, für mehr reicht das Geld nicht.» Sie sagte es lachend, ohne klagenden Ton. «Um mich aufzuwärmen, setze ich mich täglich ein paar Stunden in die Sozialbibliothek und lese.»

«Hast du Freunde?»

Sie seufzte. «Ach, du weißt ja selbst, dass sich nach einem Parteiausschluss die Genossen verflüchtigen, übrig bleiben da nur wenige: Brupbacher, Zürcher Arzt der Armen, und seine Frau, die russische Ärztin. Troestel, der ehemalige Freund Lenins. Und vor allem das Ehepaar Schiavetti. Wir sind übrigens wieder zusammen zum Risotto eingeladen …»

Der bekannte Antifaschist Fernando Schiavetti, Lehrer an der Freien italienischen Schule, und seine warmherzige Frau Giulia wussten zwar, dass Silone und seine ehemalige Gefährtin kein Liebespaar mehr waren. Trotzdem luden sie ihn nur mit Gabriella zusammen in ihre Wohnung an der Nordstraße ein.

Giulia hatte Gabriella ins Herz geschlossen, und Silone hörte nach dem Essen zufällig ein Gespräch zwischen den Frauen mit an: «Ach, hätte er dich doch geheiratet!»

«Du weißt doch, heiraten ist unter Kommunisten verpönt», hatte Gabriella geantwortet.

Darauf Giulia mitleidig: «Und nun haben die Partei und Silone dir gleichzeitig den Laufpass gegeben!»

Wenn sie bei Schiavetti saßen, wurden sie von den halbwüchsigen Töchtern, Annarella (der künftigen Malerin Annarella Rotter Schiavetti) und Franca (der künftigen Journalistin Franca Magnani), scharf beobachtet. Wies Silone seine ehemalige Gefährtin zurecht, weil sie unter dem Tisch die Schuhe abstreifte oder nach dem üppigen Essen einen Knopf öffnete, fingen die Mädchen an, haltlos zu kichern.

«Ja, ja, er hält auf Manieren, unser Berufsrevolutionär», sagte Schiavetti dann später mit einer Prise Verachtung, und seine Frau fragte: «Fühlt er sich wohl deshalb bei Frau Rosenbaum so wohl?»

20

Januar 1933.
Die Kälte nimmt auch in Zürich zu. Durch den Eisregen
sind Äste vom Kastanienbaum abgebrochen, später findet
Aline einen erfrorenen Vogel im Hof. Auf das Messing-
schild der Anwaltskanzlei hat jemand ein Hakenkreuz
geschmiert, und am Stadelhoferplatz verkünden fette
Schlagzeilen:
‹Hindenburg ernennt Hitler zum Reichskanzler!›
‹Jüdische Weltgefahr!›
Aline geht am Kiosk vorbei in einem blauen glockigen
Wintermantel, der Saum schwingt, als scheue er die
Berührung mit dem Straßenschmutz. Die Verkäuferin
schaut ihr nach, sagt zu einem Kunden: «Immer elegant,
die Rosenbaum. Es heißt, sie habe ihren Juden wegen sei-
nem Geld geheiratet.»
Wladimir, seit gestern aus Wien zurück, sitzt am Rund-
funkgerät, verschmilzt an diesem trüben Nachmittag fast
mit dem stoffbespannten Kasten, die belfernde, hysterisch
japsende Stimme Goebbels' zieht, auch für Aline hörbar, über Ossietzky, Tucholsky, Alfred Kerr und Walter
Mehring her.
Wladimirs Ohr hat sich vom Radioapparat gelöst, sein
Gesicht ist fahl geworden:
«Ist Tucholsky noch in Zürich?»

Aline nickt.

«Er wohnt bei seiner Ärztin an der Florhofstraße, es geht ihm schlecht, er wirkt flattrig, gehetzt. Er befürchtet ein Veröffentlichungsverbot durch die Nazis, hat er mir gesagt.»

Rosenbaum dreht am Knopf des Radiogeräts, um die Stimme zum Schweigen zu bringen, und zündet sich eine Zigarette an.

«Lächerlich», sagt er kopfschüttelnd. «Wie will dieser Hitler, der sich seine Weltanschauung irgendwo zusammengelesen hat, neben einem Geist wie Tucholsky bestehen!»

Er wolle sich noch etwas die Beine vertreten, hatte Rosenbaum gesagt, mit Aline spaziert er gegen Abend die Rämistraße hinauf. Beim Theater am Heimplatz geraten sie in eine Demonstration. Es sind Frontisten, Anhänger der *Eidgenössischen Front* und des *Bundes Nationalsozialistischer Eidgenossen*, die im Sprechchor skandieren: «Juden raus! Juden raus!»

Steine fliegen, an der Fensterfront des Theaters klirrt eine Scheibe.

Der Aufmarsch gilt dem Direktor des Schauspielhauses Ferdinand Rieser, einem Schwager Werfels, mit der Hilfe von emigrierten Schauspielern hat er eine bemerkenswerte Bühne geschaffen.

Ein paar der Randalierer haben den Rechtsanwalt Rosenbaum erkannt, der in der Frontistenzeitung, die einen kruden Antisemitismus vertritt, Zielscheibe der Kritik ist.

Provozierende Zurufe. Aline fürchtet, Wladimir könne, wie schon oft, aufbrausen. Manchmal neigt er zu Gewalttätigkeit. Einmal lässt er sich sogar in einem Ballsaal auf eine Schlägerei ein, weil einer gerufen hat: «Ah, da tanzt der Jud mit seiner Sara!»

Aline flüstert:

«Komm, wir gehen langsam zu uns zurück.» Sie flüchten sich in die Stadelhoferstraße, werden jedoch von einer Gruppe verfolgt. Während Wladimir vorauseilt, um das schwere Eisentor aufzuschließen, wird Aline von einem Burschen angegriffen, sie schlägt mit ihrem Regenschirm auf ihn ein.

«Judenmetze!», schreit einer, und eines der Mädchen ruft: «Pfui, eine Frau, die dreinschlägt!» Doch der Bursche lässt von ihr ab, und es gelingt Aline, durch das Tor zu schlüpfen, das Rosenbaum hinter ihr abschließt. Den Frontisten bleibt nur, durch die Stäbe nach ihnen zu spucken.

In den Nächten viel Radau, einmal ertönt vor dem Baumwollhof ein Schuss. Aline dringt darauf, dass Ro sein Büro in den ersten Stock verlegt, die Räume im Parterre sind ihr zu exponiert, um Platz zu gewinnen, muss sie jedoch ihr geliebtes Musikzimmer aufgeben.

«Dieser Hitler, dieser Niemand, der einmal Schickelgruber geheißen hat, beginnt langsam auch unser Leben im Baumwollhof zu verändern», stellt Aline mit Bitterkeit fest.

Die Welt war zu einem Tollhaus geworden.

Das Café *Odeon* an diesem Fasnachtsabend ein Teil dieser aus den Fugen geratenen Welt.

Ro hatte seine Frau, die ihm zu Hause nachdenklich und schwermütig erschien, aufgemuntert mitzukommen, doch im Chaos des fasnächtlich dekorierten Cafés ging

sich das Paar rasch verloren, eine Frau im roten Flamen-
cokostüm stürzte sich auf Ro, und Aline wurde von
einem fasnächtlichen Narren auf die Tanzfläche gezogen.
Das Schlagzeug dröhnte, der Saxophonspieler ging in die
Knie, blies mit rotem Froschgesicht und Augen, die zu
platzen drohten.

Man schwitzte unter den Masken. Aline, die solche
Anlässe sonst mied, hatte sich weder geschminkt noch
verkleidet, in einem chinesischen Brokatkleid, einem
Geschenk von Liang Tsong Tai, wirkte sie unter all den
Narren ein wenig deplatziert.

Der Tumult stimmte sie melancholisch, es war ihr, als
erkenne sie allein dieses fasnächtliche Treiben als Teil der
allgemeinen Verrücktheit. Eben war die Nachricht
hereingeplatzt vom Brand des Reichstags in Berlin, von
Görings Schießerlass und der Hatz auf die Kommunisten.

Auch ihre private Welt schien von der Umkehr aller
Dinge in diesen Tagen betroffen zu sein, erzählte ihr doch
Silone in einem verwirrenden Brief von einer Liebesnacht mit einer bezaubernden Frau ohne Namen. Er
danke Aline für dieses Glück, denn er wisse, sie habe es
gewollt, für ihn.

Das klang geheimnisvoll, ich hatte also diese Rolle zu spielen.
Seine Offenheit war mir recht, doch litt ich sehr, ihn an eine
andere Liebe verloren zu haben.

Aline, verloren im Fasnachtstreiben und doch scharf
beobachtet. Der Schriftsteller Humm, der dank seiner
Körperlänge Übersicht hatte über die wogende Menge,
sah Aline vorbeiwirbeln, sie kam ihm fremd vor in die-

sem Trubel; es lag eine Helligkeit, eine Trauer auf ihrem Gesicht.

Kaum war der Tanz vorbei, sah er Aline auf die Balustrade flüchten, doch ein fetter Mann mit einem Hütchen im Genick folgte ihr, ein Kunde ihres Mannes wohl, er musste viel getrunken haben, angewidert hörte sie auf sein Gebrabbel.

Da tauchte Humm als Retter auf, seine Don-Quichotte-Gestalt war Aline sympathisch, sein forschender, freundlicher Blick tat ihr wohl.

Er löste ihre Hand sanft aus der Hand des Dicken, zwängte sich auf der Lederbank zwischen sie und ihn, stupste den Zudringlichen mit dem Knie weg. Was nun geschah, sollte schwerwiegende Folgen haben:

Schließlich küssten wir uns, schildert es Aline, *recht geschwisterlich und vor allen Leuten, wie das an Karneval Brauch ist. In diesem Moment ging die Giedion vorbei und lächelte schief. Durch sie musste Tranquilli die Neuigkeit, ich hätte einen neuen Liebhaber, erfahren haben, oder es war Katzenstein, der eifersüchtig war und mir bei ihm zu schaden versuchte.*

Der Schriftsteller Humm empfand diese Küsse keineswegs als geschwisterlich, das ist nachzulesen in seinem Schlüsselroman *Carolin*, der 1944 in der Zürcher Büchergilde Gutenberg erschien. Carolin steht hier für Humm, Gania für Aline, Ganiool für Rosenbaum.

Er (Carolin) *betrachtete sie genau, Wimpern, Augen, Nase, Mund; er schob sich, weiter plaudernd auf die Lederbank (…), er duzte sie. Er fand sie schön, schlank, weich, biegsam. Er zog sie ganz an sich heran, hielt sie in seinen Armen geborgen und küsste sie über und über. (…) Er sah Ganiool, der neben einer Säule stand und eine Zigarette auf seine silberne Dose klopfte.*

Als er sie anzündete, blitzte an seinem Finger ein Diamant. (…) Er (…) sagte ihr, sie und Ganiool seien ein schönes Paar, so, in ihrer Gegensätzlichkeit; er sagte ihr, sie sei eine berückend schöne Frau.

Es wurde ihr plötzlich zu viel, sie erhob sich, verabschiedete sich von Humm und ging durch den Saal zur Garderobe. Für ein Taxi war der Weg zu kurz, so ging sie zu Fuß unter dem kristallklaren Frosthimmel, die schneidende Kälte trieb ihr die Tränen über die Wangen, unter ihrem Glockenmantel raschelte der chinesische Brokat. Silberne Drachen waren auf das Kleid gestickt – «Sie bringen Glück», hatte Liang Tsong Tai gesagt.

Doch in der Folge stellte sich nichts als Unglück ein. Ein paar Tage später, am fünften März, fanden in Deutschland Reichstagswahlen statt, die als Hitler-Wahlen in die Geschichte eingehen sollten. Man hörte die Zahlen am Rundfunk, saß angstvoll im Kreis um das Gerät, das damals erst in wenigen Haushalten zu finden war. Als das Resultat feststand – die Nationalsozialisten hatten 288 von 648 Sitzen gewonnen und mit der Kampffront Schwarz-Weiß-Rot die absolute Mehrheit –, breitete sich eine entsetzte Stille aus. Ein Zuhörer nach dem andern verließ still das Haus. Eine kleine Gruppe blieb, um über die bevorstehenden Ereignisse zu mutmaßen. Der Nationalsozialismus werde erst die Arbeiterbewegung zerschlagen und sich dann mit seiner destruktiven Kraft nach außen wenden, das bedeute Krieg, sagten die einen. Andere waren weniger pessimistisch. Schließlich verzog man sich gemeinsam zu einem Abendtrunk in die *Kronenhalle*.

Aline war zu Hause geblieben und setzte sich, um innerlich zur Ruhe zu kommen, ans Klavier.

Da läutete es unten am Tor, der Hausdiener öffnete, er hatte Silone an der charakteristisch nach oben geschlagenen Hutkrempe erkannt. Aline, erfreut über das plötzliche Erscheinen des Freundes, wurde schnell enttäuscht. Sein Gesicht war seltsam starr, er benahm sich kalt, ja zynisch: Es sei ihm zugetragen worden, sie habe schon einen Ersatz für ihn gefunden. An der Fasnacht habe sie sich im *Odeon* von seinem Mitarbeiter Humm küssen lassen.

Sie versuchte ihm zu erklären, was sich zugetragen hatte, doch er ließ sich nicht abbringen von seinen Vorwürfen. Zum Beweis, dass diesmal der Bruch endgültig war, schickte er am anderen Tag in einem Paket alles zurück, was er von den Rosenbaums bekommen hatte, unter den Geschenken war auch ein Umschlag mit fünfhundert Franken: der Zuschuss an die Druckkosten von *Fontamara*.

Doch damit nicht genug. Silone hatte erfahren, dass Aline mit Humm allein nach Comologno gefahren war.

Um sich die Liebe zu ihr endgültig auszutreiben, verteufelte er sie. Am 3. April 1933 schrieb er an Aline:

In meinem Brief habe ich Ihnen ganz schlicht mitgeteilt, dass ich mit Ihnen brechen wolle. Dass ich nicht eine nymphomane Freundin haben könne …

Als sie mich umarmten und liebkosten, musste ich den Kopf abwenden, um Ihren Atem nicht zu spüren. Ganz aufrichtig, sie rochen übel! Es war, wie wenn ein Abszess in Ihnen aufgebrochen wäre. Wie wenn ein geweißtes Grab geöffnet würde. Es roch nach verdorbenem Speck.

Moritur et ridet. Sie stirbt und amüsiert sich. Et jam foetet. Und stinkt schon.

Silone fügt noch hinzu, er sei nach seinem Besuch bei ihr der Limmat entlanggegangen, habe die dunklen Fluten betrachtet und sich gefragt, warum sich Frau Rosenbaum nicht ins Wasser werfe. Er schließt den Brief mit dem aufrichtigen Wunsch, sie nie mehr zu sehen.

Wladimir und Aline Rosenbaum. Zwei Menschen, die sich im Leben immer wieder voneinander entfernten, sich annäherten, losließen. Und doch war der andere immer da, wenn es dem Partner verzweifelt schlecht ging.
Nach dem Bruch mit Silone schien der sonst über alles Hinwegblickende hellwach und präsent. Verstand ohne Worte. Sah das Ausmaß der Verheerung.
«Ich habe vier Tage frei», sagte er. «Was sollen wir tun?»
«Wegfahren von allem», sagte sie.
«Zur Barca?»
«Nur das nicht.»
Also irgendwohin. In der Höhe war noch Winter, doch sie wagten eine Fahrt auf den verschneiten Bergstraßen. Eine Reise entlang den Rändern der Welt, auf der Eiskruste erkalteter Gefühle.
Der Satz: Warum wirft sich Frau Rosenbaum nicht in die Limmat?, fuhr unausgesprochen mit.
So gelangten sie, wie zufällig, nach Salzburg. Fuhren, unter Lebensgefahr, schreibt Aline, zum Mönchsberg hinauf, der Wagen kam ins Schleudern und musste aus einer Schneeverwehung befreit werden.
«Wir kennen den Ort nur vom Sommer», sagte Rosenbaum zum Garagisten, um sich für den Leichtsinn zu entschuldigen.

Aline saß auf dieser tagelangen Frostfahrt schweigend neben Ro, zu verzweifelt, um Angst oder Zorn zu empfinden. Sie hatte sich immer bemüht, sich aus ihren Liebesverhältnissen würdig zu lösen, aus einer geglückten Liebe eine geglückte Freundschaft zu machen. Schon deshalb war ihr Silones Brief unverständlich. Drückte die Härte einer Ideologie durch, der er sich seit seiner Jugend ausgesetzt hatte? Er wollte sie, die Bürgerin, nicht und begehrte sie dann doch wieder für sich ganz allein?

Louise Mendelsohn, Alines Vertraute in jener Zeit, meinte, der Brief sei kein Einzelfall. Die Belesene gab der Freundin einen Text des Dichters Clemens von Brentano zu lesen:

«Schau, auch Brentano hat versucht, sich von einer großen Liebe zu befreien, und nennt in seinem Abschiedsgedicht den Leib, der ihm eben noch Lust bereitet hat, ‹ein schmutzig Kissen aller ekler Lüste›. Auch bei ihm findet sich die Anspielung auf Suizid im Wasser: Wenn sich die einst Angebetete in die Spree werfe, so werde sie obenauf schwimmen, denn Spreu treibe in die Höhe!»

Zu Louise Mendelsohn, der Frau eines emigrierten jüdischen Architekten aus Berlin, hatte Aline Vertrauen gefasst, und dies, obwohl ihr Frauen seit dem traumatischen Verrat durch die Mutter immer Angst gemacht hatten.

Die Freundinnen beschlossen eine gemeinsame Italienfahrt. Doch Aline war auch auf der Reise immer in Gedanken bei Silone. Kamen sie in eine Stadt, erkundigte sie sich auf dem Postamt nach Briefen, denn sie hatte ihm die Stationen der Fahrt mitgeteilt. Sie hoffte, Silone werde sich für *seine schauderhafte Art*, sich zu verabschieden, entschuldigen.

Auch in Modena hatte Louise im Auto vor dem Postamt gewartet, bis Aline mit enttäuschtem Gesicht zurückkam, doch als sie weiterfahren wollten, wurde der Wagen der beiden attraktiven Frauen von Männern umringt: Frauen, die allein unterwegs waren, galten als Freiwild. Während die Männer immer eindeutigere Angebote machten, sagte Louise lachend zu Aline:

«Da, schau, wie sich die gut aussehenden lateinischen Liebhaber um ein Abenteuer reißen! Haben sie es aber hinter sich, baden sie in Schuldgefühlen, reden sich ein, dass Liebe nur mit einem minderwertigen Teil von ihnen geschieht. Sie fürchten sich, mit Herz und Verstand zu lieben, am einfachsten, sie gingen gleich ins Hurenhaus. Beginnen sie aber mit dem Herzen zu lieben, wie es Silone getan hat, wird es dramatisch. Dann gilt es, den Liebesteufel auszutreiben, und die Frau, um die sie eben noch so sehr geworben haben, ist die hässliche Verführerin.»

Plötzlich wichen die Männer zurück. Scheinbar ohne ersichtlichen Grund – bis Aline den Trupp Schwarzhemden sah, der rasch unter den Bögen der Geschäftsstraße näher kam.

Die martialisch wirkenden Anhänger Mussolinis waren in den Städten allgegenwärtig. Der Trupp überquerte den Platz, vier Motorräder fuhren mit ohrenbetäubendem Geknatter voraus, die Stiefel der Schwarzhemden knallten aufs Pflaster.

Zwei Carabinieri aus der Nachhut kamen auf das Auto der beiden Frauen zu, die Knöpfe ihrer Uniformen glänzten in der Frühlingssonne:

«Ihre Ausweise?»

Sie beugten sich lange über die Papiere.

«Wohin geht die Fahrt?»

«Nach Florenz.»

Sie erkundigten sich, warum die Ehemänner nicht mit-
führen. Boten ihren Schutz an, blieben aber höflich und
ließen den Wagen passieren.

In Florenz hatte sich auf einem der Plätze eine große
Volksmenge eingefunden. Der Duce trat auf, ein kleiner,
feister Mann, dessen Kopf knapp über das hohe Geländer
des Balkons reichte. Er begann die Rede mit abgehack-
ten Brülllauten; den Unterkiefer wie ein Prellblock vor-
geschoben, wütete er gegen alle, die sich dem *sacro egoismo*
und Italiens Herrschaft über das Mittelmeer und der
Erweiterung seiner Kolonien in Afrika entgegenstellten.
Applaus, Jubelgeschrei!

Der freie Wahnsinn, wie Aline später schrieb.

21

Zwischen zwei, die sich einmal geliebt haben und vielleicht immer noch lieben, schieben sich Berge, Land-
schaften mit Städten, Menschen. Die Farben werden blas-
ser, das Naheliegende wird weggedrängt, das Ferne rückt
in der Erinnerung heran. Die kartographische Wieder-
gabe einer Beziehung.

In Zürich hatte sie Silone zufällig an einem literarischen
Abend wieder gesehen, man erwartete die jüdische
Schriftstellerin Else Lasker-Schüler zu einer Lesung in
der Kirche Fluntern. Carl Seelig, Literaturfreund und
warmherziger Helfer, hatte sie eingeladen, er wollte mit
verschiedenen Veranstaltungen die unterdrückte Literatur
zu Wort kommen lassen. Die wirtschaftliche Not, in der
sich die meisten der zugezogenen Schriftstellerinnen und
Schriftsteller befanden, war ihm bekannt, viele hatten in
der Schweiz Arbeitsverbot oder fürchteten, ausgewiesen
zu werden unter dem Vorwand, sie nähmen einheimischen Autoren das Brot weg.
Es war ein bitterkalter Abend, von weit her war man
durch Straßen voll von knirschendem Schnee gekommen, fand dann die kleine Kirche von Fluntern unbe-
heizt vor. Man wartete lange in der Kälte, endlich
erschien die Dichterin, die sich der Prinz von Theben

nannte, in einem langen goldgelben Schal, die Haare rabenschwarz gefärbt. Sie las Wüstengedichte, und bald glaubten die Zuhörer, ein warmer Wind blase ins Publikum, man wurde unter einen heiteren Himmel entrückt. Unter dem Tisch bewegte die Dichterin eine feine Glasglocke, um die Geräusche der Windharfe in den Raum zu zaubern.

In der Pause, als man in Gruppen beisammenstand, entdeckte Aline im Publikum Silone. Er sprach mit Doktor Fritz Brupbacher, dem Verfechter der Geburtenregelung – sein Buch *Mit Pistole und Pessar* hatte eben für Aufregung gesorgt –, und dem Bakunin-Biographen Max Mettlau.

Aline arbeitete sich durch die Menge, um Silone zu begrüßen, da bemerkte sie zu seiner Seite die kleine Rothaarige, die sie schon einmal in seiner Begleitung gesehen hatte, ohne dieser Bekanntschaft viel Wert beizumessen. Näher kommend hörte sie erstaunt, wie man in diesem Kreis Silone Sereno nannte und die kleine Rothaarige Serena. Ihre Namen fielen gewissermaßen in einem Atemzug, sie verrieten Verbundenheit, als seien sie ein Flügelpaar. Wieder einmal ahnte Aline etwas von Silones geheimnisvoller Vielschichtigkeit, sie zog sich, von der Gruppe noch unbemerkt, zurück.

Später erfuhr sie mehr über Gabriella Seidenfeld. Sie sei mittellos und lebe in der ständigen Angst, ausgewiesen zu werden. Brupbacher nehme sich ihrer an, er habe für sie eine Scheinheirat mit einem Schweizer arrangiert. Im Juni 1933 erschienen der Arzt und Silone auf dem Rathaus Zürich als Trauzeugen für das ungleiche Paar: Der Bräutigam wider Willen war schon alt und wollte von Gabriella nichts wissen. Doch der Zweck war erreicht, sie war Schweizerin geworden, eine für die Fremdenpolizei harmlose Frau Maier. Nichts stand mehr der Eröffnung der kleinen italienischen Buchhandlung im Wege, die Silone mit dem Erfolg von *Fontamara* finanzierte.

Was für eine verrückte Zeit falscher Identitäten: Secondino Tranquilli, Ignazio Silone, Sereno und später, als Nachrichtenvermittler für den amerikanischen Geheimdienst, auch Mr. Frost, Len, Tulio, Mr. Behr …

Aline verstand, dass es ihm Mühe machte, alles unter seinen Hut mit der aufgeschlagenen Krempe zubringen.

Der Frühling war ins Onsernone eingezogen: In den Wäldern leuchtete das junge Grün der Birken aus dem Rotbraun der noch kahlen Kastanienbäume.

Luca erwartete in seinen Osterferien die Ankunft der Sciori.

Doch nur Maria war in Comologno erschienen, um die Kaninchen zu füttern und das Haus in Ordnung zu bringen. Eifrig wurde repariert, die Heizung funktioniere nicht zur Zufriedenheit, hieß es, und im Garten inspizierte ein Sachverständiger die Wellenanlage des Schwimmbeckens. An einem Morgen brachte Maria aus Crana die beiden Siamkatzen und den ungebärdigen schwarzen Hund Othello, die Tiere hatten bei ihr überwintert, das Bestiarium der Sciora war bereit zum Empfang.

Gegen Mittag hörte man es hupen, Räder knirschten auf dem Platz, Türen wurden geschlagen, Koffer und Kisten ins Haus geschleppt.

Doch es war erst der Wagen des Padrone. Er erschien in Begleitung von Max Ernst, der Spitzname des Malers war

Dada-Max, denn viele seiner Werke, die meisten in Collage-Technik, wurden dieser Epoche zugeschrieben.

Die beiden Männer, passionierte Schachspieler, konnten sich nur zwei Tage frei nehmen, so sah man sie gleich nach der Ankunft am Steintisch an der Sonne bei einer angeregten Partie. Max Ernst kam in diesem Jahr nochmals in die Barca und schrieb ins Gästebuch:

Ich kam nach Comologno für einen Tag, ich blieb einen Monat, verlor eine Unzahl Schachpartien, reinigte dafür zweimal das Wellenbad, dreimal die Schleudertrommel, viermal den Dinnerstein. Das fünfte Mal aber dröhnte ich unbewusst im Lautlosen.

Am späten Nachmittag traf endlich auch die Sciora ein, sie fuhr einen blitzneuen Wagen, der das halbe Dorf zusammenströmen ließ. «Ein Nash Spider», sagte der Wirt mit Kennermine.

Als Erste drängten sich die beiden Dackel aus der Wagentür. Luca bückte sich, um sie zu streicheln, und nahm gleichzeitig die Angekommenen wahr: Die Sciora, schön wie immer, flankiert von zwei Männern, der eine lang und dünn, der andere kurz und gedrungen. Beide trugen, wie damals Herr Tucholsky, ihre Schreibmaschinen.

Als Dritter folgte eine ungewöhnliche Erscheinung: Das Profil markant, doch fein und wächsern, die melancholischen Augschatten wie geschminkt, war es ein Mann oder eine Frau? Das Wesen hob in einer großen Geste seine Arme zum Himmel, den Umstehenden nickte es huldvoll zu wie einem Bühnenpublikum. Auf der Treppe legte der Fremde dem staunenden Luca die Hand auf den Kopf und blickte mit beifälligem Murmeln in seine blauen Augen, nahm dann leicht, wie auf Zehenspitzen, die Stufen.

Das Geheimnis seiner Identität wurde von der Köchin noch am selben Abend gelüftet: Der neue Gast war der berühmte Max Terpis, Ballettmeister an der Oper in Berlin, die «Hitlerei» habe den gebürtigen Schweizer zurück in die Heimat getrieben.

Aline war müde, aber glücklich, am Ziel zu sein. Um ihren Gästen etwas Besonderes zu bieten, hatte sie nicht wie Ro den Wagen am Gotthard verladen, sondern war die Passstraße gefahren. Die Fahrt war damals noch ein sportliches Unternehmen, anstrengend und erregend, schraubte man sich doch über enge Kurven empor von einer Vegetationsstufe zur andern. Während der Schriftsteller Humm vorne neben Aline die Umgebung aufmerksam beobachtete, war sein Freund Marchwitza auf dem Hintersitz neben Terpis seltsam still, im Rückspiegel sah Aline besorgt sein blasses Gesicht.

Hans Marchwitza, ein schreibender Bergarbeiter, war eines Tages als Emigrant bei Humm im Neubühl aufgetaucht. Er hatte im Ruhrgebiet an den Kämpfen zwischen Spartakisten und Reichswehr teilgenommen, seine Bergarbeiterromane, zum Beispiel *Sturm über Essen,* wurden viel gelesen und diskutiert. Nun schrieb er im Exil an einem neuen Roman mit dem Titel *Die Kumiaks.*

Nach zwei Wochen klagte Marchwitza, ohne seine Frau und sein fünfjähriges Kind, ein drolliges Bürschchen, fühle er sich außer Stande, an seinem Buch weiterzuschreiben. Die beiden seien übrigens schon unterwegs zu ihm. Die Familie kam also nach, im Gefolge auch eine Schwägerin, alle Schlafmöglichkeiten bei Humm, auch das Kanapee im Wohnzimmer, waren nun belegt. Doch auch tagsüber erschienen Emigranten. Sie waren manchmal bis zu zwanzig Personen bei Tisch, und Humm plante den Umzug in eine größere Wohnung im alten Rabenhaus am Hechtplatz. Seine Solidarität mit den Verfolgten war wohl über die Grenzen bekannt. Der Humanist Humm sah im Sozialismus die Rettung vor der Unmenschlichkeit des Faschismus, in Zürich war er Mitbegründer und Sekretär der Gesellschaft *Das Neue Russland*. Erst nach den Moskauer Prozessen würde er heftige Kritik an den Kommunisten üben und sich aus der Politik zurückziehen.

Marchwitza war es inmitten der vielen Leute bei Humm bald zu turbulent geworden. Aline und Wladimir Rosenbaum nahmen den gequälten Autor im Baumwollhof auf, wo allerdings schon zwei, manchmal drei andere Emigranten einquartiert waren.

Marchwitza war als Schriftsteller in der Schweiz unbekannt, auch beim Schweizerischen Schriftstellerverband, der tragischerweise im Namen der Fremdenpolizei Entscheidungen fällen musste, hatte man noch nie von ihm gehört. Die Naivität des Bergmanns sorgte für zusätzliche Schwierigkeiten. Von der Zürcher Fremdenpolizei befragt, was er in der Schweiz mache, legte Marchwitza treuherzig die Hand auf die Brust, auf dem Handrücken war ein blauer Anker eintätowiert!, und bekannte:

«Ich bin ein revolutionärer Schriftsteller!»

Woraufhin man ihn prompt auswies.

Doch stand er nach kurzer Zeit wieder bei Humm vor der Tür, ging kaum mehr aus und schrieb an seinem Hauptwerk, *Die Kumiaks*, das 1934 bei der Büchergilde Gutenberg erschien. Später sollte Marchwitza in der

DDR zu einer gehätschelten Berühmtheit werden, ein Millionär mit einem Haus und einer Villa am Schwarzen Meer.

Eine Zeit lang ging alles gut, doch eines Tages beschwerte sich der Bergmann wieder bei Humm: «Gottverdammt, ich kann nicht arbeiten, die Schweiz riecht nach Hygiene!»

Er sah geknickt aus, es galt, sein Werk zu retten, und Aline schlug Humm vor, sie sollten doch beide bei ihr in der Barca Ferien machen. Max Terpis war ebenfalls in einem traurigen Zustand und schloss sich ihnen gerne an.

Nun also hatte Aline den Gästen zuliebe oben auf der Wasserscheide des Gotthards angehalten, um zu picknicken. Humm stieg schnell aus, pflückte eine Anemone zwischen den Schneeresten und begann Hölderlin zu zitieren:
Mein Vater ist gewandert, auf dem Gotthard,
Da wo die Flüsse hinab …
Auch Terpis war ausgestiegen, nur Marchwitza blieb im Fond des Wagens sitzen, und Aline fragte nach hinten:
«Ist Ihnen übel von den vielen Kurven?»
«Nicht von den Kurven», sagte Marchwitza. «Aber die Berge sind so gewaltig und fürchterlich …»
«Sie sind doch Bergmann?»
«Schon, aber nur gewohnt, die Berge von innen zu sehen. Auf ihrem Rücken packt mich die Angst …»
In der Barca entspannte sich Marchwitza und verschmähte die leckeren Speisen nicht, die Maria im Esszimmer bereitgestellt hatte.
Am nächsten Morgen verwandelte sich die Barca in eine Schreibwerkstatt. Marchwitza schrieb an den *Kumiaks*,

Humm an *Die Inseln*, und Aline, angespornt von den beiden, begann Geschichten aufzuschreiben, die ihr Maria, die Terza oder die Posthalterin zugetragen hatten, 1937 würden sie unter dem Titel *Geschichten aus dem Tal* erscheinen. Terpis war der Einzige, der nicht schrieb. Doch abends, wenn die Autoren am Kaminfeuer vorlasen, war sein einfühlendes Urteil wichtig.

Marchwitza, der Ungeduldigste, durfte zuerst lesen.

Man hatte das Nachtessen soeben beendet, die Platten waren von René mit weißen Handschuhen serviert worden, nun, im getäferten Prunkzimmer der Barca, las Marchwitza von Kohlehalden und Ratten.

Er las mit kehliger Stimme, aus dem Schatten des Raumes lösten sich die Protagonisten: Proletarier, von der Arbeit unter Tag kaputtgemacht. Die Haut wie verbrüht, schorfig, übersät mit Narben. Man atmete den beklemmenden Geruch ihrer Kleider, ein Gemisch aus Kohle, Öl und Schweiß.

Als die Lesung zu Ende war, herrschte eine Weile betroffenes Schweigen. Dann lobte Humm:

«*Die Kumiaks* wird dein bestes Buch!»

Auch Aline fand diese ihr fremde Welt eindrücklich beschrieben. Schnell jedoch regte sich in ihr die Psychologin. Es sei gut für Marchwitza, dass er seine schlimmen Erlebnisse durch das Schreiben abreagiere.

Die Barca fing an, nicht nur Humm zu verwandeln. Marchwitza stand im Garten lange vor einem blühenden Baum.

Am Abend bemerkte er zu Humm, er beachte wohl das erste Mal im Leben einen blühenden Baum! Proleten steckten wohl zu sehr im Dreck, um Sterne oder Blüten zu sehen. In all seinen Büchern käme nie ein blühender Baum vor, nur Zank und Ausbeutung, Streik, Aufstände … Humm war von dieser Beobachtung gerührt. Ihm, dem Kenner russischer Literatur, kam jene Notiz Turgenjews in den Sinn, die berichtet, er habe erst im Ausland, irgendwo bei Berlin, das Trillern der Lerche bewusst wahrgenommen. Rosa Luxemburg hatte dies feinfühlig interpretiert: Die Disharmonie der Gesellschaft, die zum Himmel schreienden sozialen Zustände hätten ihm den Genuss der Naturschönheit in seinem Vaterland verwehrt.

Mit dem Postauto war ein Kollege von Marchwitza angekommen, die beiden Bergleute wohnten im Hexenhäuschen, das sie weniger als ‹bürgerliches Ghetto› empfanden als den Palazzo. Abends führten sie lange Diskussionen über den Marxismus.
Oft saß Terpis vor dem Häuschen mit ihnen zusammen. Marchwitza äußerte seinen Ärger über den Diener René, der überhaupt kein bisschen proletarisches Bewusstsein habe! Er habe versucht, das mit Hilfe seiner wenigen französischen Sprachbrocken zu ändern, und mit welchem Erfolg? Der ältliche, vom Dienen bucklig gewordene Kerl, in Monaco geboren, habe ihm gesagt, er betrachte den Fürst von Monaco als seinen Wohltäter!
Eines Abends wurde vor dem Häuschen bis spät gelärmt, Aline konnte nicht schlafen. Die Stimmen überschlugen sich, wurden zänkisch. Plötzlich Stille, Aline hörte Schritte über den Kies gehen, dann Geräusche aus der Küche. Sie stand auf und fand die drei Streithähne bei

einer Tasse Kaffee am Küchentisch, verstimmt, schweigsam trinkend.

«Ist etwas passiert?», fragte Aline.

Sie bekam keine Antwort.

Am nächsten Morgen erklärte ihr Max Terpis den Anlass des Streits: Sie hätten gestern wieder zu politisieren begonnen und sich darüber gezankt, ob man Frau Rosenbaum, sobald die Revolution beginne, den Kopf werde abschneiden müssen oder nicht. Der neu eingetroffene Kumpel neige dazu, im Falle der Frau Rosenbaum eine Ausnahme zu machen, aber Marchwitza sei für Abschneiden, des Exempels wegen.

Ob er je erfuhr, dass sie von seiner Charakterfestigkeit unterrichtet worden war, wusste Aline nicht, aber einige Tage später, als die beiden von einem Ausflug heimkehrten, kam Marchwitza auf sie zu, in der Hand das Winzigste von Sträußchen, das man sich denken konnte, und reichte es ihr mit einer Verbeugung.

Die Wanderer waren erhitzt, Terpis und Humm stürzten sich ins Wasser, nur Marchwitza weigerte sich, das Schwimmbecken zu benützen.

Ob er nicht schwimmen könne?

Doch, er könne.

Aber?

Er wand sich, rückte mit dem wahren Grund nicht heraus. Wieder verriet Terpis das Geheimnis, Marchwitza sei über und über am Körper tätowiert! Er schäme sich deswegen.

An einem Abend holte Aline eine der Masken im Flur und erzählte, wie sehr sie beeindruckt sei von den Körperzeichnungen der Eingeborenen. Tätowierung könne eine Kunst sein, zum Beispiel gefalle ihr der Anker auf Marchwitzas Handrücken. Marchwitza nahm das erleichtert zur Kenntnis.

Am anderen Tag schon ging er ins Wasser und wurde einer der eifrigsten Benutzer des Schwimmbeckens.

Humm wohnte im Turmzimmer.

Er liebte es, wie eine Eidechse die Sonne suchend, in der Badehose auf der sonnenwarmen Terrasse zu liegen, den Kopf geschützt durch den Strohzylinder. Manchmal klopfte Aline von unten gegen die Bodenklappe, kam in den Bereich der Turmzimmer herauf. Wenn sie den Gast auf der Terrasse Notizen machen sah, bat sie ihn, vorzulesen. Sie kauerte sich neben ihn, er blätterte betulich im Manuskript, beschwerte die losen Zettel mit Steinen, damit der Wind sie nicht fortwehte.

Auch der Text kam Aline im guten Sinn luftig vor, nicht so grüblerisch wie manches, das Humm bis anhin geschrieben hatte. Es waren Inseln, geronnene Erinnerungen an seine Kindheit, die Humm, Sohn eines Schweizer Kaufmanns, in Modena verbracht hatte. *Dunkle Anhauche, glückhafte Tahitis.*

Diese Wortgebilde wollte er nur ihr allein vorlesen; schwebend und durchsichtig wie Glaskugeln hielten sie Marchwitzas Zugriff nicht stand.

Da saß er tagelang auf seinem Söller, ein luftiger Gefangener. Der Alltag in Zürich hatte ihn zynisch gemacht, nörglerisch, kalt, nun nahm er die Wärme des Onsernone auf, spürte den Bergwind auf der bloßen Haut und öffnete sich der Verwandlung durch die Barca. Aline, seine Freundin, liebte das Beste aus ihm heraus: *Die Inseln,* sein schönstes Werk, über das Hermann Hesse später urteilte: *Dieser spröde Autor gehört, wie ich glaube, zu den besten Prosaisten deutscher Sprache.*

Ihre Beziehung selbst war ihm zur Insel geworden.

Dabei war der bedächtige Humm, was Aline betraf, über seinen Schatten gesprungen.

Nach dem Abend im *Odeon* hatte er gezögert, sich auf seine Verliebtheit einzulassen, ein oder zwei Besuche im Baumwollhof hatten ihm die Verschiedenheit ihrer Welten gezeigt. Da gingen so viele bedeutende, reiche, glänzende Männer ein und aus, warum wählte Aline gerade ihn, den noch nicht arrivierten Autor, den Proleten, der in Zürich mit dem Fahrrad herumfuhr, den langen Lulatsch?

Ja, sie war es, die gewählt hatte. Er hätte nicht gewagt, sie zu wählen. Als er Aline darauf ansprach, antwortete sie lächelnd, nie habe sie Männer gewählt, mit denen Staat zu machen sei, aber sie spüre, wer der Liebe wert sei.

Sie wusste, was sie an ihm hatte: Humm war klug, witzig, zärtlich und fürsorglich, er kannte Alines Verletzung durch Silone.

Sie nannte ihn nicht Geliebter, sondern Freund.

Sie nannte ihn nicht Humm, sondern Muhr.

«Warum erfindest du Muhr?», fragte er erstaunt.

Sie blickte ihn vergnügt an: «Jede Liebe ist eine Neuerfindung.»

Und später dachte sie: Die Menschen bekommen durch die Liebe eine bisher ungekannte Leuchtkraft und neue Namen.

Gemeinsam machten sie lange Wanderungen.

Humm entdeckte überall etwas Besonderes: Zwei Kühe, die sich gegenseitig die Mäuler leckten, ein Kind, das vor einer Hütte mit einer Puppe aus Lappen spielte, eine alte Frau mit einer Traghutte auf dem Rücken, die mit der Ladung Heu mächtiger aussah als sie selbst. Er achtete auf jede Kleinigkeit, fand sie seiner Beachtung wert. Durch ihn schärfte auch Aline ihre Sinne, alles erschien ihr in neuem Licht, oft lachten sie zusammen wie Kinder.

Über Alines Wunden begann sich Haut zu bilden: *Muhr ist mir sehr nötig, fast wie Luft.* Abends, wenn die andern vor dem Hexenhäuschen ihre endlosen politischen Diskussionen führten, war das Paar allein, und Humm forderte Aline auf, ihm etwas zu erzählen. Hatte Silone damit begonnen, die Schriftstellerin in ihr zu wecken, so setzte Humm diese Arbeit fort, später findet die Stimmung dieser Abende einen Niederschlag in seinem Roman *Carolin*:

Er liebte es, wenn sie so lebhaft und mitteilsam erzählte. Er liebte ihr warmes, behagliches Berndeutsch, in das sie stets geriet, wenn sie menschlich wurde.

Er hielt ihre Hände, streichelte manchmal ihr Gesicht. Es war wie das Ergießen eines Lebens in ein anderes. (...)

Erzähle ... bat er.

... sie hatte diese wunderbare Gabe der Lüge, Gania, (...) die Gabe, einem Mann genau das Märchen zu erzählen, das er gern hören will. (...) Sie wusste genau, wo seine Seele war.

Luca machte es unruhig, den langen Humm so viele Stunden auf dem Turm neben der Sciora zu sehen, er blickte hinauf, bis das Gitter des Balkons sich in der Bläue auflöste, die beiden wie in einer Luftgondel entschwebten. Schon traten in den Abendschatten die Terrassierungen der Hänge stärker hervor, und er starrte, nun auf dem Gartenweg vor der Barca, immer noch nach oben. Die Gondel, die den bläulichen Himmelskanal durchkreuzte, flimmerte in den schrägen Strahlen der Sonne. Lautlos glitt der runde Gondelschatten über Luca hinweg zu den Rosenbüschen und verschwand hinter der Mauer.

Luca litt. Die zarten Bande zwischen der Sciora, Rossi und Silone hatte er noch geduldet, aber der Anblick des langen Lulatsch versetzte ihn in Wut. Er mochte ihn durchaus nicht leiden, ja, es war ihm, er habe die Sciora vor ihm zu schützen. Brachte er Kaninchenfutter in die Barca, band er in einem unbewachten Augenblick die beiden Hunde los, die seine Abneigung heftig zu teilen schienen, sie kläfften, sprangen an den langen Humm-Beinen hoch, als gälte es, einen Einbrecher zu fassen, verzweifelt versuchte der Ungeschickte, sie mit fahrigen Bewegungen abzuschütteln. Auf den Spaziergängen strich Luca dem Paar nach. Er hoffte, der kurzsichtige Humm möge auf einer der steilen, von den Hufen der Tiere gebosselten Wiese ausgleiten, er möge mit seinen staksigen Beinen in einem Loch stecken bleiben oder im Bachtobel auf Nimmerwiedersehen verschwinden wie eine Kasperlfigur in der Versenkung der Bühne.

Doch Humm, von der Sciora zärtlich Muhr genannt, überstand die von Luca ersonnenen Widerwärtigkeiten. Erschöpft vom Fußmarsch lehnte er am Tor, überlang, schlaksig. Die Haare mit Brillantine aus der Stirn gekämmt, rauchte er pausenlos seine Zigaretten, behielt die Angebetete im Auge. Sah er sie allein auf ihrem Liegestuhl, kam er rasch heran, beugte seine lange Gestalt. Feindselig beobachtete Luca durch die Zweige des Kastanienbaums, wie Humm die Sciora dorthin küsste, wo auch er sie gerne geküsst hätte: auf das Stück nackte Haut rund um den Nabel. Wie eine Königin, die Gnaden austeilt, überließ sie ihre Körpermitte seinen Lippen als Spielwiese. Dann hob er den Kopf und sagte zu ihr, in einem fürchterlichen Sprachmix, als sei ihm eine Sprache nicht gut genug:

Tu hai il più bel ombelico di tutte le donne del mondo. Sei stolz darauf. Parce que ça signifie: perfection. Perfection dans le centre.

Auch im darauf folgenden Sommer ließ es sich Luca nicht nehmen, die Sciora und ihre Gäste scharf zu beobachten. Rossi war nicht mehr nach Comologno zurückgekehrt, es hieß, er wohne irgendwo im Locarnese. Humm erschien seltener, und wenn er kam, befand er sich in Gesellschaft. Während Luca fortfuhr zu beobachten und dabei Zeit verstrich, fuhr er auch fort, zu wachsen. So wuchs er stetig, manchmal auch schubweise der Sciora entgegen, war nun beinahe so groß wie sie, jedenfalls hoffte er das.

An einem Abend erschien ohne Voranmeldung Max Ernst in Begleitung der schönen Meret Oppenheim in der Barca. Meret Oppenheim, die bald mit surrealistischen Kreationen, wie der *Pelztasse*, berühmt werden sollte, war auch in Alines Augen eine auffallend schöne Frau: mit hinreißendem Profil und einem vom Tanz geschulten Körper.

Aline quartierte die beiden im kleinen Zweizimmerappartement im Turm ein, vom Balkon ging der Blick bis tief ins Tal und zu den Höhen der nahen Berge. Die Verliebten blieben fast die ganze Zeit über als freiwillig Gefangene in ihrem Turm.

Nur einmal kamen sie zum Baden in den Garten. Es war ein eher kühler Tag, die Männer lagen um das Schwimmbecken, um sich mit den nackten Bäuchen aus den warmen Granitplatten ein bisschen Wärme zu holen, und sprachen über den drohenden Krieg. Meret hörte ihre besorgten Gespräche und riet, nicht alles so pessimistisch zu sehen, Hitler schaffe es mit seinem Unfug nur noch ein paar Wochen.

Man hörte willig hin, hoffte, sie möge Recht bekommen. Dann sah man die wunderschöne Frau im Bassin schwimmen, das Wasser brach sich um ihren Körper in allen Regenbogenfarben, noch einmal versuchte sich das Leben gegen die Zerstörung durchzusetzen.

22

Die Zeit verstrich, und Luca wuchs.

Im Spiegel der alten Serafina erschien er dünn und lang wie ein Spargel. Halte dich gerade, riet ihm Kusine Federica, wann immer sie ihn sah, und Luca, ohnehin rosafarben im Gesicht wegen der vielen Pickel, wurde rot wie Klatschmohn. Es war eine Unruhe in ihm, die er selbst nicht verstand, er dachte zu viel gleichzeitig und sprach zu schnell und schwallweise. Später würde er diese Erregtheit abstreifen wie eine Schlangenhaut und als bedächtig gelten.

In der Barca sollte ein Tanzfest stattfinden. Man erwarte mit den Degiorgis auch Federica und Luca, ließ die Sciora ausrichten. Es würde der letzte große Anlass im Palazzo vor Rosenbaums Verhaftung sein, und Luca durfte mit der Sciora den letzten Tanz tanzen, den Kehraus.

Doch zunächst machte es ihn kribblig, dass man kostümiert zum Fest erscheinen sollte. Federica, die ihn deswegen auslachte, fand in Serafinas Kiste eine alte ländliche Tracht. Er sah darin wie ein hübsches Mädchen aus, die kurzen Haare unter dem Kopftuch versteckt, das noch bartlose Gesicht rosig und rund, die blauen Augen durch das Blau des Brusttuchs betont.

Unter den Hausgästen war der Rechtsanwalt Walter Rode aus Wien, in einer Tirolerjacke und einem Filzhut mit Gamsbart sah man ihn durchs Dorf gehen oder mit Rosenbaum Schach spielen. Luca hatte von Maria erfahren, dass er Autor verschiedener Bücher sei, das letzte mit dem merkwürdigen Titel *Deutschland ist Caliban*, liege auf dem Tisch im Rauchzimmer, es sei eine Abrechnung mit dem Faschismus, habe der Padrone gesagt.

Rode, obschon in reifem Alter, galt als Schürzenjäger, er kam immer allein, seine Frau wohnte unterdessen in Lugano in einer kleinen Pension. Zu Beginn des Fests stand er in rotem Bucharamantel und Fez neben der Tür der Barca und inspizierte die eintreffenden weiblichen Gäste. Als Luca eintrat, grabschte er nach dessen Hand und presste auf die Finger des vermeintlichen Mädchens einen schmatzenden Kuss. Zum Glück lenkten die nachdrängenden, diesmal echten jungen Frauen sein Interesse ab. Cora, eine Dorfschöne, erschien in weitem Rock, engem, schwarzem Leibchen und rosa Spitzentuch um die Schulter, ein gefaltetes Seidentuch saß wie ein Falter in ihrem langen Haar. Hinter ihr kamen die jungen Degiorgis als Gämsjäger verkleidet, aus ihren Rucksäcken blickten schauerliche Gämsköpfe mit gläsernen Augen.

Die Sciora, in ländlicher Tracht, hatte in der Halle den Tisch beiseite rücken lassen und stand beim Grammophon, einem eleganten, mahagoniroten Holzkasten.

Luca schaute interessiert zu, wie die Sciora eine Schallplatte auf den Teller legte, den Tonarm aus der Halterung nahm, auf den Startknopf drückte und das Bremsklötzchen löste.

Jazzmusik durchflutete das Gewölbe, die an der Wand aufgehängten Pistolen wiesen mit den Läufen auf die Gäste.

«Kannst du Boston tanzen?», fragte ihn die Sciora und blitzte ihn mit ihren dunklen Augen an. Luca verneinte, sein Gesicht überzog sich erst rosa, dann rot.

Doch sie lachte ihn an:

«Komm, ich will es dir zeigen.»

Ihre Füße zeichneten ein Viereck, das sich bei der nächsten Bewegung über den Boden verschob, er tat es ihr nach, und sie rief: «Ja, es klappt!», und zog ihn in die Mitte der Halle.

Langsam gewöhnten sich seine Beine daran, gemeinsam mit den Beinen der Sciora auszuschreiten und den Granitboden des Flurs mit Rechtecken auszumessen, sein Kopf wurde frei, und ein Glücksgefühl breitete sich in ihm aus. Er war der Sciora bis auf die Spanne eines kleinen Fingers entgegengewachsen und schwebte in ihrer Atemnähe durch die Halle der Barca!

Bei den nächsten Tänzen wandte sich die Sciora anderen Gästen zu, Luca stand an der Wand und sah sie vorbeiwirbeln, den Strohhut, von einem farbigen Band gehalten, hatte sie nach der Art der Landmädchen in den Nacken geschoben. Ihre Augen leuchteten wie damals, als der Dreizehnjährige die Barca entdeckt hatte.

Mit den Degiorgis war auch der zwergwüchsige Ettorino gekommen, den die Sciora ins Herz geschlossen hatte, er war ihr Koboldchen, ihr Talisman. Er hatte ein niedliches, wenn auch ein bisschen verkniffenes Gesicht, Nase, Wange und Mund stritten sich um den engen Platz. Seine Mutter hatte ihm einen Frack geschneidert, in heiterster

Laune stand er auf der Bank und trank aus einem winzigen Tässchen allen zu.

Unterdessen umgurrte Rode das Mädchen Cora, doch auch die jungen Burschen wollten mit ihr tanzen, und die Schöne verstand es, den Älteren in neckischer Distanz zu halten. Rode rief ihr zu, sie werde ihre Zoccoli, die Holzschuhe, garantiert noch beim Tanz verlieren, da mache er jede Wette! Nein, das werde sie nicht, gab sie lachend zurück und hielt die Schuhe beim Herumwirbeln mit den Zehen der bloßen Füße fest. Nun wetteten auch andere, und die hübschen Füße der Cora wurden die ganze Zeit über scharf beobachtet.

So lag über dem Abend eine beschwingte Stimmung, die Welt und alle Sorgen waren für ein paar Stunden vergessen.

Es ging gegen Mitternacht. Die meisten waren erhitzt vom Tanz, der kurzatmige Rode war seiner Verkleidung überdrüssig geworden. Er hängte den seidenen Bucharamantel und den Fez über eine Holzstatue des heiligen Josef, die wurmstichig und einarmig auf dem Treppenabsatz stand. Die Sciora kündigte den letzten Tanz an, ging zum Grammophon und legte eine Platte auf, einen Walzer.

«Komm», sagte sie zu Luca, «das ist der Kehraus, wir wollen ihn zusammen tanzen.»

Schnell hatte sich die Halle mit tanzenden Paaren gefüllt. Rode hatte für den letzten Tanz Cora holen wollen, aber ein anderer war ihm zuvorgekommen und hatte sie schon um die Taille gefasst, die Schöne lachte Rode gutmütig, aber voller Übermut zu und ließ sich wegziehen.

Darauf holte Rode Federica zum Tanz, blickte aber, den Walzer drehend, immer nach Coras Füßen aus.

Auf einmal, vielleicht weil sie der Tänzer zu dicht in die Arme schloss, geschah es: Cora verlor ihren Schuh, einen Moment lang sah man ihren rosigen Fuß auf dem Granitboden.

Rode stand still, rief: «Endlich! Finalmente!»

Darauf glitt der Koloss von Mann an seiner Tänzerin entlang zu Boden. Die Sciora und Luca schwebten noch, er tanze gut, man merke, dass er musikalisch sei, hatte sie ihn gelobt. Luca bemerkte plötzlich, dass nur sie allein noch tanzten, da brach die Musik jäh ab.

Auf dem Boden der Halle kauerten Frauen in weiten Röcken um einen liegenden Menschen, als würde da geboren, eine Gruppe wie aus einem Krippenbild. Eine Nachbarin, geübt in Krankenpflege, rief der Sciora zu: «Herr Rode ist tot.»

Die meisten verließen entsetzt das Haus.

Die Sciora hatte Rode auf den Tisch legen lassen, der Talarzt erschien und stellte Rodes Tod fest, erstaunt blickte er in die geschminkten Gesichter der letzten Gäste. Noch in der Nacht fuhren Ro und Aline nach Lugano, um Rodes Frau zu benachrichtigen.

Auf der Rückfahrt nahm Rosenbaum die Witwe in seinem Zweiplätzer mit, für Aline war da kein Platz, so fuhr sie im Morgengrauen mit dem Leichenwagen zurück ins Onsernone. Sie saß vorne auf dem Bock zwischen dem Sargmacher und dem Kutscher, der Sarg, hinten auf der Brücke, verschob sich in jeder Kurve und gab ein scharrendes Geräusch von sich. Es war unheimlich. Aline hatte Mühe, ihre Gedanken beisammenzuhalten: *Mir schien, ich sei eine Termitenkönigin und der Sarg mein aufgeschwollener Leib.*

Zurück in der Barca, übermüdet nach der hektischen Nacht, sah Aline über der Tischplatte im Flur den Kopf des Toten auftauchen, er grinste und trug ihren eleganten neuen Hut.

Sie schrie.

Ro musste sie ins Bett bringen, er saß eine Weile bei ihr, ging dann ans Telefon. «Entschuldige, ich kann nicht kommen, meine Frau wird mir verrückt», hörte Aline ihn sagen. Sie erriet, dass er das Treffen mit seiner neuen Freundin absagte, und obwohl sie ahnte, dass es ihn diesmal ernsthaft erwischt hatte, war sie ihm dankbar für seine Rücksichtnahme.

Sie erholte sich nur langsam. Sie fuhr nach Zürich zurück, hoffte, dort ihr Gleichgewicht wieder zu finden.

Ich spürte, wie der Boden unter unseren Füßen zu beben begann.

Das Leben war nicht mehr heiter und verdunkelte sich zusehends. Das Lachen verging uns. Was so viel Spaß gemacht hatte, Tanzen oder Kino wurde schal. Alles wurde provisorisch, unwirklich.

23

Schon einmal hatte sie Halluzinationen gehabt. Damals, im Spätherbst 1933, hatte sie eines Morgens gesehen, wie eine Wolke aus der Ikone herausquoll und die Ikone ihr zublinzelte.
Sie rief Jung an.
In der ersten Stunde berichtete ich, dass die Madonna mir zuge-blinzelt hatte. Er meckerte und zog an seiner Pfeife. Ich weinte. Die Luft sei so dick zu Hause. Fast lachte er auf.
Ich solle nur gut aufpassen, was die Ikone weiterhin zu tun gedenke. Es könnte interessant werden.

Jung bat sie, ein Traumtagebuch zu führen.
Nicht nur für Nachtträume, auch für die bewussten, kreativen Imaginationen, mit denen der Analytiker zu arbeiten begonnen hatte.
Jung nennt solche inneren Kinos aktive Imagination, eine Fähig-keit unserer Psyche, dem Traum verwandt.
Man befindet sich im Stadium der Menschheit, die sich Mythen erfand und Märchen erzählte.
Jung lässt sich ganz auf ihre Traumsequenzen ein, sie führt ihn auf einem Frachtschiff über das Polarmeer.
Gegen Abend zeigte sich auf dem Meer eine Verfestigung des Eises, kranzförmig angeordnet. Das Schiff glitt über den Rand der Verfestigung und da sah ich, dass das Ganze ein Brunnen oder Schacht war, ganz aus Eis (…)

Jung hört ihr aufmerksam zu, segelt auf ihrer wunderbaren Imagination.

Ein Zustand der gleißenden Bilder. Das Ozeanien des Unbewussten.

Sie möge ihm das handgeschriebene Traumtagebuch überlassen, er wolle es als Illustration seiner Imaginationstheorie zu seinen Materialien legen.

Sie gibt seinem Drängen nicht nach. Erklärt, dass sich bei ihr eine Fortsetzung nur einstellt, wenn sie an den Faden der früheren Sequenz geknüpft wird.

Alles nochmals abschreiben?

Sie lächelt. Dafür fehle ihr die Zeit.

Die Küstenlinie des Traums.

Ich hing über den Rand hinaus ins Verrückte, doch gelang's mir, mich festzuhalten.

Jung ist für sie die erhabene Instanz, *etwas wie ein ferner Gott, den man nicht lieben, nur verehren und fürchten darf.*

Sie findet Geborgenheit in seinem dunklen, höhlenhaften Zimmer. Zwar ist die Einrichtung konservativ, Jung hat einen hausbackenen Kunstsinn, heißt es in Zürich, seit er einen ablehnenden Artikel über Picasso und Joyce geschrieben und sie in die Nähe der schizophrenen Kunst gerückt hat. Sie versteht nicht, dass ausgerechnet er diese Kunst ablehnt, wo er doch die freie Imagination zulässt, mit Elementen aus dem Unterbewussten arbeitet. Doch sie mag Jungs ruhige Art: Wie er sich bewegt, die Pfeife stopft, raucht, den Hund mit einem Wort zurechtweist. Sie mag seine Stimme: Eigentümlich kernig und eindringlich, sein langsames Sprechen, sein Dialekt, seine bedächtige Art. Dann seinen Blick, der zu dem chaotischen Geschehen in ihr im Gegensatz steht: ein Messer, scharf, unerbittlich.

Doch auch diese letzte Zuflucht begann ihr zu entgleiten.

Sie saß in einem Café am See, es war Frühjahr, der Föhnwind hatte den Himmel aufgehellt, die Kette der Schneeberge leuchtete am Horizont.

Ein elegant gekleideter Mann fragte, ob er sich einen Moment zu ihr an den Tisch setzen dürfe. Es war der Arzt Dr. Gustav Bally, sie hatte ihn bei der Lesung von Elias Canetti an einem ihrer *jour fixe* kennen gelernt.

«Ich nehme an, Sie sind immer noch Analysandin von Doktor Jung?», begann er das Gespräch.

Sein «immer noch» irritierte Aline, sie nickte.

«Verzeihen Sie meine Direktheit, aber Sie werden ihn wohl in Zukunft kaum mehr konsultieren können.»

Sie blickte ihn mit erschreckten Augen an, fragte: «Warum nicht?» Und dachte bei sich: Solange Jung lebt, werde ich immer zu ihm gehen, er ist mein Seelenführer.

Bally lehnte sich zurück, behielt sie jedoch scharf im Auge, während er sagte: «Doktor Jung ist ins Lager der Faschisten geraten.»

Sie schwieg einen Moment, sagte dann tonlos: «Das kann nur ein Missverständnis sein.»

«Es ist leider eine Tatsache.»

Er öffnete sein Portfolio, entnahm ihm eine Drucksache, seine goldumrandeten Brillengläser blitzten. «Hier ist eine Kopie des Artikels, den Jung im *Zentralblatt für Psychotherapie* veröffentlicht hat, gefolgt von meiner Replik in der *Neuen Zürcher Zeitung*. Darf ich diesen Separatdruck Ihnen und Ihrem Mann zur Lektüre überlassen? Ich lege

Wert darauf, dass diese Dinge rasch bekannt werden.»
Noch auf dem Heimweg begegnete Aline Frau Giedion.
Auch sie sprach ein bisschen hämisch vom Gerücht,
Dr. Jung sei ein Nazi geworden. Frau Giedion, Deutsch-
amerikanerin und Kunstexpertin, hatte schon vor einem
Jahr ungnädig auf Jungs Artikel über Picasso und Joyce
reagiert: «Der Kunstbanause zeigt nun auch politisch
einen schlechten Geschmack, Sie werden doch Ihre Kon-
sequenzen ziehen?»
Aline, wie immer allergisch auf die Überheblichkeit der
Giedion, erwiderte trotzig: «Ich bin nicht der Vormund
von Doktor Jung, was geht es mich an?»
Völlig aus dem Geleise geworfen kam sie zu Hause an,
die Anwürfe hatten sie zutiefst getroffen. *Damit drohte der
Zusammenbruch der mit ihm begonnenen Arbeit, der ganzen
Psychologie und ihrer also nur scheinbaren Garantien.*
Irrte sich Jung oder war er uneinsichtig? Alles sprach
gegen ihn. Der von Bally überreichten Drucksache entnahm Aline die Hauptpunkte des Disputs: Wenige
Wochen nachdem Freuds Bücher in Deutschland öffentlich verbrannt worden waren, setzte sich Jung in einem
Radiointerview von Freud und Adler ab, einer – wie er
es formulierte – jüdischen psychologischen Betrachtungsweise, die Sexualität und Machtstreben aussondere
und in immer kleinere Bruchstücke zersetze, und sprach
vom «schönsten Vorrecht des germanischen Geistes», der
Gesamtschau. Im *Zentralblatt der Psychoanalyse* wiederholte er die Abgrenzung seiner analytischen Psychologie
gegenüber der jüdischen und berief sich, so Bally, dabei
auf primitive antisemitische Vorurteile.
Auf Ballys Protest hin hatte Jung geantwortet. Seine

Unterstützung der deutschen Ärzte habe mit einer politischen Stellungnahme nichts zu tun.

Beim Nachtessen reichte Aline Ro den Artikel von Bally, er überflog ihn, las laut ein paar Sätze vor, ging dann, ohne sich mit Aline auszutauschen, hinunter in die Kanzlei.
Ihr wurde übel, in der Herzgegend fühlte sie einen stechenden Schmerz.
In der darauf folgenden schlaflosen Nacht hielt sie sich in ihrer Vorstellung bildlich an Jung fest:
Ich heftete mich wie ein Bleiklumpen an Jung, an seine Hand, seinen Fuß. Verbissen rang ich (...), der Kampf Jakobs mit dem Engel. Ich lasse dich nicht, du segnest mich denn.
Gegen Morgen hatte ich das Unannehmbare angenommen, das irrationale Vorhandensein mir unbegreiflicher Dinge. (...) Dass es Dinge gibt im Menschen, die so abstrus sind, wie die schlechten Eigenschaften Gottes selbst, den wir ja auch nehmen müssen, wie er sich uns zeigt, ohne zu verstehen, und doch zu ihm halten. Vermutlich habe ich damals das Böse überhaupt akzeptiert, es in mein Leben integriert ... Das Besserwissen, die Rechthaberei der Moral, das alles war durchschaut.
Um solche Realitäten zu erleben, brauchte es Jung. Ohne ihn wäre ich nicht dazu gekommen, den Teufel zu erleben, oder besser, den Hinterraum unserer Existenz.
Durch ihn erlangte ich die Kraft zu dieser Erfahrung, und gleichzeitig war er es, der sie mir bot.
In der nächsten Nacht träumte ihr, während einer Operation sei entsetzlich viel aus ihr herausgeschnitten worden, das Blut fließe in Bächen. Die Ärzte fragten sich, ob sie das durchstehen werde. Da habe sie gelacht: «Jetzt ist es grausig, aber es wird schon gut.»

Als sie den Traum Jung erzählte, schwieg er, in sich versunken.

Dann sagte er auftauchend: «Ja, sooo sehen Sie die Sache an?»

In dieser Zeit der öffentlichen Auseinandersetzung schrieb Rosenbaum C.G. Jung einen Dankesbrief: (...) *Ich bin auch dem Schicksal dankbar, dass es meine zerbrechliche und scheue Frau den Weg zu Ihnen führte und dass sie in Ihnen den behutsamen und weisen Weg-Weiser fand.* Er spüre gerade jetzt, da Jung im Kreuzfeuer stehe, das Bedürfnis, Jung seinen Dank auszusprechen. *Wären Sie ein Antisemitist, so hätten Sie sich ja just nicht in die Nesseln gesetzt.*

Jung freute sich sehr über diesen Brief, nannte ihn Aline gegenüber einen Salto mortale. Er selber hatte hingegen offensichtlich Mühe, über seinen eigenen Schatten zu springen. In einer Replik auf den Bally-Artikel wies er darauf hin, dass er seit 1913, seiner Abkehr von Freud, die Unterschiede zwischen der jüdisch-psychologischen Betrachtungsweise und seiner analytischen Psychologie festzuhalten suche.

Unterlag er im Kampf gegen den Übervater Freud jenen Mechanismen, die er selbst *Schatten* nannte?

In ihren Aufzeichnungen suchte Aline nach einer Erklärung: Während der Analyse stelle sich Jung immer auf die verdrängte Seelenseite, so komme es wohl, dass er sich selbst getäuscht und eine Weile den Umbruch in Deutschland bejaht habe.

24

Das Leben mit Rosenbaum brauchte immer mehr Kraft. *Der Padrone war von den Ereignissen und seinen eigenen Schwierigkeiten abgelenkt, auch von andern Frauen (…). Da alles unsicher wurde, hoffte ich auf die Haltekraft unserer Verbindung. Wir hatten oft über Leute gelacht, die sich wegen diesem oder jenem scheiden ließen, das sollte uns nie passieren.*

Humm verfolgte sie mit Liebesansprüchen, die sie nicht erfüllen konnte. Dieser Freundschaft, die Aline in den ersten Monaten beschwingt hatte, fehlte die Substanz, Aline bezeichnet sie als Trostbeziehung: *Wir sind uns zu nahe, Inzest zwischen Bruder und Schwester.*
Von den Traumsequenzen hatte sie gelernt: Es galt nicht, zwischen einem der beiden Männer zu wählen, sie musste zu ihrer inneren Freiheit finden. Humm, der Geradlinige, eher Schwerfällige, konnte jedoch den Wandlungen der Freundin nicht folgen. Erst hatte er sich gegen innere und äußere Widerstände zu seiner unorthodoxen Liebe durchgerungen, und nun, wo er sich in dieser Liebe eingerichtet hatte, sollte er sie wieder loslassen?
Sie sollten sich wieder auf ihre Ehen zurückbesinnen, hatte sie ihm gesagt, was meinte sie damit? Wo doch Alines Ehe, von außen betrachtet, diesen Namen längst nicht

mehr verdiente, sie nach ihrer eigenen Aussage nichts anderes war *als das eheliche Gegenstück zu einem Büro.*

Humm war verwirrt, klammerte sich an die Freundin, sprach von gemeinsamen Ferien, von Heirat.

Da wartete eines Tages im Flur des Baumwollhofs Rosenbaum auf Humm. Bis anhin hatten sie nur politische Interessen miteinander geteilt, gemeinsam hatten sie gegen den Reichsbrandprozess protestiert, und Humm beschreibt in *Carolin*, wie engagiert der auf ihn sonst lethargisch wirkende Rosenbaum öffentlich sprechen konnte: *Ganiool* (Rosenbaum) *sprach bald, als rede nicht er, sondern die Menge aus ihm. Sein mongolisches Haupt erhielt durch diese Verwandlung eine ungeahnte Schönheit.* Und nun stand Rosenbaum vor ihm und wollte mit ihm in der Altstadt noch einen Schlummertrunk nehmen.

In *Carolin* erzählt Humm davon:

Ganiool war für ihn ein Mann aus einem andern Stern, innerlich ganz anders gebaut (…). Ungemein tätig und verschlafen zugleich, scheinbar ohne Gefühle und doch nicht zu übersehen, hatte Ganiool an Carolins Beziehung zu seiner Frau vorbeigelebt, als ob sie ihn nichts angehe und sie sich so gehöre. Jetzt aber spürte Carolin, dass er erwachte, dass er sich vorschob und einschaltete …

In der *Spanischen Weinhalle* war Rosenbaum plötzlich verlegen. Er malte für Humm zwei Striche auf ein Papier: Die beiden Geraden stellten die Partner einer Beziehung dar. Aber dies – er zeichnete in die Mitte eine dritte Linie – sei das Übergeordnete in einer Beziehung, diesem Dritten müsse man dienen! Dann könne nichts fehlgehen, dann könne eine Beziehung bis zum Ende des

Lebens dauern. Zu einer solchen Beziehung müsse man ja sagen, sie sei Schicksal. Wenn Humm das einsehe, werde er seine Frau nicht mehr täglich besuchen, einmal in der Woche sei mehr als genug.

Rosenbaum drückte seine Zigarette aus und sah Humm direkt an:

«Schauen Sie, manchmal suchen Männer meine Anwaltspraxis auf und berichten von Schwierigkeiten, dass ihre Frau fremdgehe oder sie verlassen wolle. Dann öffne ich meine Hand und sage: ‹Wenn einer einen Schmetterling auf der Hand hält, und der Schmetterling öffnet die Flügel, so darf man die Hand nicht schließen. Tut man es doch, dann hat man einen Schmetterling mit zerbrochenen Flügeln. Man muss im Gegenteil die Hand vorsichtig noch mehr öffnen. Vielleicht flattert er weg, vielleicht erinnert er sich, wie schön es auf Ihrer Hand war, und kommt zurück …›»

In Comologno lag Brandgeruch in der Luft, ein dunkler Schleier hing im Einschnitt des Tals.

Luca erinnerte sich an den Tag, an dem, wie man ihm erzählt hatte, in Deutschland die Bücher von Tucholsky öffentlich verbrannt worden waren. Es war ihm, als wirbelten Fetzen von angekohlten Seiten in der Luft, und Buchstaben fielen über den Friedhof wie schwarzer Schnee.

Doch diesmal war es der Padrone, der hinter der Barca Papiere verbrannte, im Dorf erzählte man sich, er müsse geheime Dokumente vernichten.

Von seinem Aussichtsplatz zwischen den Zweigen des Kastanienbaums beobachtete Luca, wie die Sciora auf die

Turmterrasse trat. Die Umrisse der Berge lösten sich auf, Wolken stauten sich am Horizont, Gischt stob über das Wasser. Das Stampfen des Motors drang herauf, die Böden, die Wände des Hauses vibrierten. Der Wellengang wurde stärker, die Barca schlingerte.

Seit der Geschichte mit dem toten Rode war die Sciora im Dorf in ein schiefes Licht geraten, wochenlang erzählte man sich, ohne dabei gewesen zu sein, alle Einzelheiten der Moritat: Ein ausgelassenes Tanzfest. Einer hat im Übermut die Statue des heiligen Josef entweiht. Darauf, quasi postwendend, hat der göttliche Blitz in die Gesellschaft der Gottlosen eingeschlagen und Herrn Rode getötet.

Luca hatte versucht, die Dinge zurechtzurücken, aber viele im Dorf hielten hartnäckig an dieser Version der Ereignisse fest.

Auch das Ende des großen schwarzen Hundes der Sciora war zum Ärgernis geworden:

Die Sciora und der Padrone waren an einem Morgen mit dem Hund gegen Spruga spaziert. Es war ein Samstag, damals noch ein Arbeitstag, Arbeiter schlugen Steine zurecht, um mit ihnen das Straßenbord zu befestigen. Ein Stein schnellte unter dem Meißel weg, schlug auf, flog in den Abgrund, der Hund, der nach ihm haschen wollte, verlor das Gleichgewicht und stürzte in die Schlucht.

Er ist tot, sagten die Arbeiter. Sie zuckten bedauernd die Achseln, bearbeiteten dann weiter ihre Steine. Aber die Sciora hatte nach der Art reicher Frauen sehr verzweifelt getan: Man könne das Tier nicht einfach dort unten verwesen lassen. Man müsse es beerdigen.

«Wer dort hinuntersteigt, stürzt zu Tode», sagte einer der Arbeiter.

Damit hätte man es bewenden lassen sollen. Aber die Sciora hatte keine Ruhe gegeben und den Sohn des Fischers aus dem Dorf holen lassen. Für ein Trinkgeld hieß sie ihn, in den Abgrund zu steigen. Als er schließlich den Kadaver auf seinen Schultern nach oben brachte, gab sie ihm zwei Franken.

Noch Jahre später redete man in der Dorfkneipe davon: Für zwei Franken habe die Sciora Fernando beinahe in den Tod geschickt! Für einen Hund!

Es dauerte lange, bis Aline mit ihren Webkursen die Sympathien im Tal zurückgewann. Man beobachtete sie genau, sah, wie sie keine Mühe scheute, nach dem Unterricht noch die Kursteilnehmerinnen in ihren Häusern aufzusuchen, um die Fortschritte zu überwachen. Wie sie später beim Verkauf der gewobenen Stoffe behilflich war. An einem Junitag begleiteten Federica und Luca die Sciora zu dem hoch gelegenen Hof einer Verwandten, sie fanden Lisa, deren Mann als Gipser in Frankreich arbeitete, am Steilhang. Sorgfältig Steine und Felsbuckel umgehend, mähte sie Handbreit um Handbreit mit der Sense, das achtjährige Mädchen verzettelte mit der Heugabel die Mahd.

Als Lisa die Besucher bemerkte, richtete sie sich auf, strich sich über die verschwitzte Stirn und kam, die zwei Kleinsten am Rockzipfel, ins Haus, wo sie stolz ihre Arbeit zeigte: einen mit Naturfarbe rosa eingefärbten Wollteppich. Die Sciora lobte die Regelmäßigkeit des Gewebes und das von Lisa erfundene Sternmuster: Wie schön, dass sie neben der vielen Arbeit noch zum Weben komme!

Sie sitze im Morgengrauen und spät abends am Webstuhl, sagte Lisa, das gebe den übervollen Tagen einen Rahmen.

Später wanderten sie zu dritt nach Spruga hinauf und fanden Mafalda, die im Kurs an einem Mantelstoff gewebt hatte, hinter dem Haus beim Holzspalten, auch das war, solange die Männer fort waren, Frauenarbeit.

Langsam wurden Aline diese arbeitsamen, wortkargen Frauen vertraut, es ergaben sich Gespräche, sie erkannte gemeinsame Muster, ihre eigene Last fühlte sich leichter an. In ihren Büchern, die sie in dieser Zeit zu schreiben begann, besonders im Roman *Die Bargada*, der 1944 erschien, sollten diese Begegnungen nachwirken.

In seiner Erinnerung konnte Luca später die letzten Sommer vor dem Krieg nicht mehr auseinander halten, es war, als blättere er in einem Buch, und die Seiten klebten aneinander. Es mochte drei Jahre nach dem Tanzabend mit dem gemeinsamen Kehraustanz gewesen sein, als man im Dorf vom Spanienkrieg sprach und davon, dass der Padrone auf seine Art versucht habe, den Faschismus zu bekämpfen. Dabei habe er all sein Vermögen verloren und sitze nun im Gefängnis.

Luca wollte es nicht glauben.

Doch die Posthalterin wusste Bescheid: «Ja, Rosenbaum sitzt in Pfäffikon in Haft. Der sonst so schlaue Rechtsanwalt ist über kleine rote Swissair-Flugzeuge gestolpert: pfeilschnelle Lockheed Orion, Clark- und Douglas-Maschinen! Die und Artilleriewaffen hat er den Franco-

Gegnern in Spanien zugehalten, doch die Sache ist geplatzt und Rosenbaum zum Verhängnis geworden, auch die Anwaltskammer hat ihn ausgeschlossen.»
Luca wurde aus den Andeutungen nicht klug.

Die Sache ließ Luca keine Ruhe, es schien ihm auch, die Sciora gehe bedrückt herum, sie sei still geworden und spiele kaum mehr Klavier. Eines Abends fand er den Mut, sie auf diese Geschichte anzusprechen.

Sie bestätigte das Gerücht: Der Padrone habe, und dies ohne persönlichen Profit, alte Swissair-Maschinen gekauft und sie über Paris ins republikanische Spanien verschieben lassen, in der Absicht, den Kampf gegen Franco zu unterstützen.

Doch die schweizerischen Behörden hätten aus Gründen der Neutralität durch einen Bundesratsbeschluss Waffenlieferungen und eine Einmischung in den Spanienkrieg verboten. Rosenbaum, Anwalt eines antifaschistischen Netzwerks, müsse nun für seine Aktionen büßen. Vier Monate Haft, ja, dazu das ganze Geld fort, sie habe in Zürich Bilder und Möbel verkaufen müssen. Der Padrone dürfe den Anwaltsberuf nicht mehr ausüben, die Zukunft sei ungewiss. Zum Glück bleibe ihr im Moment noch die Barca.

Sie blickte Luca traurig an, schwieg eine Weile, dann verabschiedete sie sich, um zu ihren Gästen zu gehen. Noch immer trafen Emigranten ein.

Die herben Gesichter der Männer im Val Onsernone erinnerten Aline immer wieder an Silone, sie hatte ihn vor Wochen in Zürich zufällig durch die Scheibe eines Cafés gesehen, abgemagert, älter geworden. Sie schickte ihm ein paar Zeilen, in denen sie den Wunsch äußerte, sie möchten sich nach der abrupten Trennung auf einer menschlichen Ebene wieder finden, Freunde bleiben. Um ein Zeichen zu setzen, lud sie ihn ein, zusammen mit Gabriella Seidenfeld in der Barca Ferien zu machen.

Doch Silone ließ Gabriella Seidenfeld allein nach Comologno fahren. Die ehemalige Kommunistin genoss den Aufenthalt nicht, sie betrachtete den feudalen Palazzo und die Schlossherrin wohl durch die Brille ihrer Ideologie. Vielleicht spürte sie um diese Zeit auch, dass ihr Wunsch sich nicht erfüllen würde: mit Silone Hand in Hand nach dem Ende des Faschismus in die Heimat zurückzukehren.

Mit diesem Gefühl sollte sie Recht behalten: 1944 wird Silone mit einem amerikanischen Militärflugzeug nach Italien zurückfliegen, zuerst die heimatliche Erde küssen, dann die neue Freundin, Darina Laracy, eine Irin. Dass die beiden im selben Jahr sogar kirchlich heiraten, wird Gabriella dem ehemaligen Gefährten nie verzeihen.

Aline hingegen konnte später tatsächlich eine freundschaftliche Beziehung zu ihrem ehemaligen Geliebten herstellen, mehrmals besuchte sie Silone und seine Ehefrau in Rom.

25

Aline – «eine Inspiratorin». So hat Rosenbaum in seinem letzten Interview seine erste Frau genannt.

Doch Aline gehört nicht zu jenen Musen, die sich auslöschen ließen von den Genies, die sie inspirierte. Sie hat zwar die Kreativität in andern geweckt, dabei aber an ihrer Autonomie festgehalten, es auch verstanden, sich Raum und Kraft zu bewahren für die eigene Begabung. Wie Silone beginnt sie nun Wörter zu bewohnen, ihre neue Liebe gilt dem Schreiben. Sie schreibt mit der gleichen kühlen Leidenschaft, mit der sie am Klavier ihre Fugen spielte.

Anstatt mit Tönen, baut sie mit Wörtern ein Thema auf. Dorfgeschichten, gewiss; doch im Wassertropfen spiegelt sich die Welt.

Silone hat es ihr in *Fontamara* vorgemacht: Wie er lotet sie die innersten Beweggründe und Leidenschaften der Menschen aus, sie zeigen sich zwischen den Abhängen des Onsernone unverstellter und vitaler als in der Stadt.

In jeder Geschichte entdeckt sie wie beim Weizenkorn den Keimling, aus dem wieder neue Geschichten wachsen, und alle Geschichten, die Menschen erleben, sind miteinander vernetzt und verwandt.

Auf diesen innersten Kern wollte sie beim Erzählen stoßen. Sie hatte auch gelernt, einen Text wie eine Webarbeit zu sehen, schnörkellos und jedem Ding seinen richtigen Namen gebend. Sie fügt Wort an Wort, Satz an Satz, Bild an Bild, wie eine Weberin einen Faden an den andern, eine Farbe an die andere: bildhaft, deutlich, klar. Die *Geschichten vom Tal* erschienen 1937, die *Tessiner Novellen* 1939, im Dorf maß man sie an der Elle der wirklichen Begebenheiten und Charaktere und war unzufrieden. Von außen jedoch kam Lob, so schrieb Hermann Hesse, der die Täler des Tessins kannte, im *Prager Tagblatt*: *Das eigentliche, alte, charaktervolle Tessin der Bergdörfer war wenig bekannt. In diese raue Welt leuchten die Erzählungen von Aline Valangin hinein (…) Das kleine Buch ist eine beachtenswerte Talentprobe und mehr: Erzählungen wie ‹Das Testament› oder ‹Stella› sind ungewöhnliche Leistungen.*

Doch in der Barca wohnten nicht nur die Wörter, da war auch neue Musik zu hören. «Ein Vogel ist der Sciora zugeflogen, er gibt ganz neue Töne von sich», hieß es im Dorf. Wladimir Vogel, Sohn einer Russin und eines in Russland lebenden Kaufmanns aus Dresden, war eines Tages mit einem Köfferchen am Tor an der Stadelhoferstraße gestanden. Er komponierte, an der Weltausstellung in Brüssel wurde unter dem Berliner Dirigenten Hermann Scherchen sein Oratorium *Wagadu* aufgeführt. Vogel arbeitete gerne mit Dichtern zusammen. Nachdem er Alines noch unveröffentlichte französische Gedichte aus *L'amande clandestine* vertont hatte, suchte er für eine Oper die Mitarbeit von Elias Canetti, der in seiner Lebensgeschichte *Das Augenspiel* darüber berichtet: *Das Jahr 1935 begann für mich in Eis und Granit. In Comologno, hoch oben im wunderbar vereisten Val Onsernone, machte ich während einiger Wochen den Versuch, mit Wladimir Vogel an einer neuen Oper zusammenzuarbeiten.*

In der Barca wurden im Sommer Musikkurse veranstaltet, Willy Reich und Vogel begeisterten für die Zwölftonmusik von Schönberg. Federica, die am Kurs teilnahm, berichtete, diese Musik passe in diese zerstörerische Zeit, nach dem Abbruch in einzelne Elemente baue man nach strengen Gesetzen wieder auf, eine neue Musik tauche aus der Zerstörung auf wie der Phönix aus der Asche.

Auch Wladimir Rosenbaum war ein Phönix aus der Asche.

Nach dem Ende seiner Gefängnishaft verließ er im März 1939 Zürich. Der Versuch, in Paris Fuß zu fassen, wo Aline inzwischen mit Vogel lebte, missglückte. Im Tessin fand er zunächst in Porta oberhalb von Brissago eine Zuflucht:

Ich hatte meine Mission beendet, ich hatte auch menschlich positive Resultate erzielt, und damit war es getan, ich durfte von der Bühne abtreten, wurde ‹abgetreten›.

Mit dem letzten Franken habe er dann in einem Bauernhof ein zerbeultes Kupfergefäß gekauft, es zurechtgeklopft, gescheuert und schließlich in Ascona für fünf Franken verkauft, so schildert er den Beginn seiner neuen Karriere als Antiquar.

Im Juni 1939 kamen die Arps aus Meudon und machten Ferien in Ascona. Während Arp und Vogel über die Möglichkeit einer Zusammenarbeit sprachen – Vogels *Arpiade* wurde später eine seiner eindrücklichsten Kompositionen –, saßen die beiden Freundinnen auf einer Bank am

See. Wetterleuchten über dem Gambarogno. In der Dämmerung unter den Platanen erzählte Sophie Taeuber Aline den Traum der vorigen Nacht:

Ich befand mich an einem Strand, es mochte der sonnige Badestrand von Ascona sein oder die zerklüfteten Felsen des Val Bavona.

Ich hörte die Stimmen meiner Freunde, die sich entfernten. Ich blieb alleine am Strand, und während es zu dunkeln anfing, schrieb mein Zeigefinger, wie geführt, das Wort ‹heureuse› in den Sand; während ich schrieb, sah ich das Wort sich in den Stein eingraben. Ein dumpfes, seufzendes Geräusch ließ mich aufschauen. Es war ein Felsblock, der sich loslöste und mich bedrohte. Da ging mir durch den Sinn, dass, wenn der Felsen mich nun zerschmettern würde, von mir nur das Wort ‹heureuse› übrig bliebe.

Aus Ascona zurückgekehrt, erhielt Aline in der Barca einen Anruf von Ro. Er sprach schneller als sonst, seine Stimme bemühte sich um einen nüchternen Klang, er beabsichtige, seine junge Gefährtin, die Fotografin Anne de Montet, zu heiraten und mit ihr Kinder zu haben – er bitte Aline um die Scheidung.

Was blieb mir übrig, als einverstanden zu sein, berichtet Aline. *Wir hatten von Anfang an abgemacht, dass, wenn der eine oder der andere es je wünschen sollte, sich scheiden zu lassen, der andere ohne Grollen einwilligen müsste.*

Am 12. Oktober 1940 wurde die Scheidung in Bern in zehn Minuten vollzogen.

Nach der Verhandlung weinten wir beide und küssten uns.

Der Kriegsausbruch überraschte Aline und Wladimir Vogel in der Barca. Vogel hatte zwar einen deutschen

Pass, aber nur eine befristete Aufenthaltsbewilligung, es war ratsam, im abgelegenen Onsernone zu bleiben.

Die Signora behielt ihn wegen der Fremdenpolizei und weil er keine ganzen Socken hatte, sagte später die Köchin Maria aus. Diese Verbindung zu Vogel, nun ja, das sei nicht etwas dermaßen Elementares gewesen, bekannte Aline später, sie habe eben seine Musik geliebt und dabei über menschliche Fehler hinwegsehen müssen.

Rosenbaum blieb im Mittelpunkt ihres Interesses. Zu seinen Ehefrauen, er heiratete später noch ein drittes Mal, hatte sie ein gutes Verhältnis, den beiden Töchtern aus der zweiten Ehe war sie die geliebte Tante Aline. Ein paar Wochen wohnten sie sogar alle in Comologno unter einem Dach, weil Rosenbaum für seine neue Familie keine Wohnung gefunden hatte. So viel Großzügigkeit konnte man natürlich im Dorf nicht verstehen, eine seltsame Liebe.

Der erste Kriegswinter war hart und brachte Massen von Schnee.

Geld hatten Aline und Vogel keins mehr, es gab keine Verdienstmöglichkeiten, nur hin und wieder schrieb Aline Artikel für *Die Weltwoche* und später auch für *Annabelle*. In die Aufregungen ihres Privatlebens verstrickt, hatten sie für die Kriegszeit nicht vorgesorgt. Sie hatten keine Vorräte an Lebensmitteln, und Maria (inzwischen Maria Nummer zwei, ebenfalls aus Crana), versuchte aus dem wenigen noch Verfügbaren, meist aus Mais- und Kastanienmehl, etwas Essbares zu machen. Kohlen gab es auch keine mehr, im Palazzo verheizten sie Holz in einem winzigen Zylinderofen, die Frauen schneiderten warme Kleider aus alten Mänteln.

Da Vogel und Aline keinen Radioapparat besaßen, wanderten sie jeden Abend ins Nachbardorf hinauf und hörten in der Nebenstube der Gastwirtschaft Nachrichten über das Kriegsgeschehen. Die Felsen am Weg nach Spruga waren voller Eiszapfen, der Wasserfall war erstarrt und stumm.

Aus dem nahen Italien kamen nachts Schmuggler mit Reissäcken über die Bergpfade. Auch Flüchtlinge überquerten die Grenze, der Grenzwächter musste in einer Telefonkabine in Spruga den Bescheid aus Bern abwarten, ob man die Leute behalten oder zurückschicken musste. Das ganze Dorf nahm Anteil und bangte für die Flüchtlinge.

Als der Krieg weiterging und viele über die Grenze in den sicheren Tod zurückgeschickt werden sollten, verbarg man die Unglücklichen oft im Dorf. Eines Nachts kam es an der Grenze im Talgrund der Bäder von Craveggia zu einem Kampf zwischen Partisanen und Faschisten. Aline, nun als Autorin unter ihrem Pseudonym Aline Valangin bekannt, beschrieb die Ereignisse dieser Kriegswinter im Buch *Dorf an der Grenze*. Seiner politischen Brisanz wegen wurde der Text von der Büchergilde Gutenberg abgelehnt und erst 1982 publiziert.

Luca war beim Ausbruch des Weltkriegs einundzwanzig Jahre alt geworden. Er begann in Genf zu studieren und lernte seine zukünftige Frau kennen, das Onsernone-Tal und die Ereignisse in der Barca rückten weit von ihm weg.

Jahrzehnte vergingen. 1986 erfuhr Luca als Redaktor einer Zeitung vom Tod der Schriftstellerin und Psychologin Aline Valangin in Ascona, 97 Jahre alt war sie geworden.

In der Absicht, für seine Zeitung einen Nachruf zu schreiben, begann Luca sich von neuem für die ehemaligen Padroni der Barca zu interessieren. Ein Interview geriet ihm in die Hände, rückblickend erwähnte der alt gewordene Wladimir Rosenbaum das wichtigste Ereignis seines Lebens: die Heirat mit Aline Ducommun, dieser wunderbaren Frau und *Inspiratorin*.

Während Luca das las, stand die Sciora wieder vor ihm, so wie er sie damals mit seinem Knabenblick wahrgenommen hatte. Um mehr zu erfahren, verabredete er sich in Ascona mit der nun betagten Köchin Maria, sie hatte 46 Jahre lang bei Aline gedient.

Maria Bustini erinnerte sich an Luca; sie versicherte ihm, trotz der vielen Liebesgeschichten, die beide Partner gehabt hätten, habe Scior Rosenbaum nie aufgehört, der Mann der Sciora Aline zu sein. Deshalb ruhten jetzt auch alle drei zusammen.

«Alle drei?» Luca verstand nicht.

Und Maria erzählte, gegen Ende ihres Lebens, die Sciora Aline sei damals schon recht alt gewesen, sei Scior Rosenbaum wie oft am Sonntag mit Ehefrau Nummer drei zum Tee gekommen. Da habe die Sciora, wie beiläufig, die beiden gefragt, ob es ihnen nichts ausmachen würde, wenn sie eines Tages bei ihnen im Grab liege?

Der Herr Rosenbaum habe darauf seine dritte Frau angeschaut, und die habe nach kurzem Zögern lachend gesagt: «Ach, warum nicht? Wir werden doch unter dem Boden miteinander auskommen!»

In der Gemeinde Ascona gebe es da aber ein Gesetz: Nicht mehr als zwei Personen dürften in einem Grab liegen. Da habe eben die Sciora angeordnet – obwohl sie die Erde so gern gehabt habe –, dass man nach ihrem Tod ihre Überreste verbrennen solle. «Und nun ruht Ehefrau Sybille rechts von Rosenbaum und Sciora Alines Asche liegt in einer Kiste auf Rosenbaums Bauch!»

Später stand Luca vor dem Grabstein aus rosa Granit mit dem eingemeißelten I-Ging-Zeichen. Inmitten des christlichen Friedhofs lagen auf ihm nach jüdischem Brauch kleine Steine. Luca bückte sich und fügte ein weiteres Steinchen hinzu. Ein Satz aus einem von Rosenbaums letzten Interviews ging ihm durch den Kopf: *Aline und ich – das ist wohl die ungewöhnlichste Liebesgeschichte seit fünfhundert Jahren.*

Bibliographischer Hinweis

Quellen dieses Romans sind die Tagebücher, die biographischen Notizen und das Traumbuch von Aline Valangin sowie Interviews (insbesondere die Gespräche mit Bernd H. Stappert), Filme von Werner Weick (bes. Nei dintorni del Monte Verità) und Veröffentlichungen aus dem historischen Umfeld (Zitate aus diesen Texten sind kursiv gesetzt). Dazu zählen insbesondere:

Die wichtigsten Prosa-Werke der Aline Valangin:
Geschichten vom Tal, Büchergilde Gutenberg, Zürich 1937
Tessiner Novellen, Büchergilde Gutenberg, Zürich 1939
Die Bargada, Büchergilde Gutenberg, Zürich 1944
Dorf an der Grenze, Limmatverlag, Zürich 1982

Ignazio Silone: Notausgang, Büchergilde Gutenberg, Zürich 1967
Paolo Rossi: Ich mache nicht mehr mit. Schweizer Spiegel Verlag, Zürich 1936
R. J. Humm: Carolin. Büchergilde Gutenberg, 1944
R. J. Humm: Bei uns im Rabenhaus. Fretz und Wasmuth, Zürich 1963
Elias Canetti: Das Augenspiel. Hanser 1985
Hans Arp: © Limes Verlag in der F. A. Herbig Verlagsbuchhandlung GmbH, München

Hugo Ball: DADA Zürich. Dichtungen, Bilder, Texte
© 1957, 1998 by Arche Verlag AG, Zürich-Hamburg
Abdrucke aus diesen Werken mit freundlicher Genehmigung der Verlage.

Auf folgende Bücher, die sich mit Aline Valangin und ihrer Zeit befassen, möchte ich besonders hinweisen:
Peter Kamber: Die Geschichte zweier Leben. Limmatverlag, erstmals Zürich 1990.
Werner Mittenzwei: Exil in der Schweiz. Röderberg-Verlag, Frankfurt am Main 1979.
Gustav Huonker: Literaturszene Zürich. Unionsverlag, Zürich 1986.

Mein spezieller Dank geht an:
Francine Rosenbaum, Neuchâtel,
Simone Cornaro Rosenbaum, Mendrisio, und
Diana Rüesch vom Fonds Aline Valangin in der Biblioteca Cantonale in Lugano.

Für wertvolle Hilfe bei den Recherchen, für Gespräche und Hinweise danke ich ebenfalls:
Maria Bustini, Ascona
Bixio und Nice Candolfi, Comologno
Vasco Gamboni, Comologno
La Lupa, Zürich und Corbella
Heiner Hesse, Ascona
Werner Weick, TSI, Lugano
Erica Kessler von der Fondatione Marguerite Arp
Familie Mordasini, Bern und Comologno

Martin Dreyfus, Zürich
Annarella Rotter Schiavetti, Zürich
Ingeborg Bayer, Agarone
und den unentbehrlichen Inspiratoren und Beratern der
Arca d'Onsernone:
Yvonne Bölt, Riccardo Carazzetti und Gianpietro Milani.

Eveline Hasler
Die namenlose Geliebte
Geschichten und Gedichte
92 Seiten
ISBN 3-312-00255-9

Sieben Geschichten erzählt Eveline Hasler in diesem Band.
Kleine bravouröse Erzählstücke, die sie gekonnt mit
lyrischen Bildern, Farbtupfern gleich, verbindet. Ein
stimmungsvolles Buch, geschrieben mit großer poetischer
Kraft. Ein Buch über Erinnerungen, unerfüllte Träume
und Impressionen.

«Die sieben legendenhaften Erzählungen schaffen es,
dem Herbst und dem Winter des Lebens ebenso viel Poesie
und Hintergründigkeit abzugewinnen wie eine geglückte
Kindheitserzählung.»
Der Bund

Eveline Hasler
Die Vogelmacherin
Die Geschichte von Hexenkindern
Roman, 264 Seiten
ISBN 3-312-00232-X

Eine Elfjährige, ein eigenwilliges, phantasievolles Kind,
behauptet, sie könne Vögel machen. Sie wird der Hexerei
bezichtigt, unter der Folter dazu gebracht, eine Liebschaft
mit dem Teufel zuzugeben und hingerichtet ... Kinder als
Opfer der eigenen, ungebändigten Phantasie und der
sexuellen Projektionen der Erwachsenen: «Mit ihren ebenso
lakonischen wie präzisen Sätzen gelingt es Eveline Hasler,
eine vergangene Welt gegenwärtig zu machen.»
Facts

«In ihrem neuen Roman ruft Eveline Hasler auf
erschütternde und erzählerisch meisterhafte Weise die
entsetzlichen barocken Hexenprozesse gegen Kinder
in Erinnerung.»
Der Bund

Kate Jennings
Bist du glücklich?
Roman, 192 Seiten
ISBN 3-312-00271-0

Kaum sind die Ringe getauscht, wird Irene klar, dass sie
ihren Mann verachtet. Und bald will sie nur noch eins: raus
aus diesem australischen Drecknest mit dem ironischen
Namen *Progress*, in dem die Prüderie regiert und eine Frau
nur ein weiteres Nutztier unter anderen Schafen ist. Ihr
Mann Rex versteht die Welt nicht mehr und schon gar
nicht seine Frau. Die Ehe scheint ausweglos. Fast.

«Die Leser werden glücklich sein, eine Autorin wie
Kate Jennings kennen zu lernen.»
New York Times Book Review

N&K

Carlos Castán
Gern ein Rebell
Erzählungen, 176 Seiten
ISBN 3-312-00274-5

«Ich wäre gern ein Rebell gewesen, der immer die Füße
auf den Tisch legt und obszöne T-Shirts trägt, hätte gerne
Stiefel gehabt, die ganz staubig sind vom vielen Laufen, und
Lippen, die ganz rau sind vom vielen Küssen.»

«*Gern ein Rebell* ist ein Buch, das von der besitzer-
greifenden Liebe spricht, vom Leben als Desaster, von
der Einsamkeit, von der Sehnsucht. Herausgekommen ist
großartige Literatur.»
Babelia